KU-396-303

Paul K. Feyerabend ist nicht nur einer der klügsten Kritiker wissenschaftlicher Dogmen gewesen, sondern wohl auch der respektloseste. Ob nun Sinnkriterien, Forschungslogiken oder Rekonstruktionen des »harten« Kerns von naturwissenschaftlichen Theorien bemüht wurden, um festzulegen, was den Ehrentitel »wissenschaftliche Rationalität« verdiene: Feyerabend kritisierte diese Festschreibungen der einzig richtigen und legitimen Methode mit jener für ihn charakteristischen Respektlosigkeit, die an das gute alte *épater le bourgeois* anschloß. Die Ordnungshüter im Reiche der Vernunft und Wissenschaft vor den Kopf zu stoßen, zählte zu seinen vornehmsten Beschäftigungen. Diese polemische Verve und den ironischen Witz Feyerabends führen auch die zwei in seinen letzten Lebensjahren verfaßten ›Dialoge über die Erkenntnis‹ vor Augen. Im ersten, »Platonische Phantasien«, ist eine bunt zusammengewürfelte Gruppe von Studenten zwar durchaus nicht dazu zu bringen, bei dem Seminartext von Plato zu bleiben. Aber weil Feyerabend mit seinen fiktiven Figuren geschickt Regie führt, wird daraus ein überaus anregendes Streitgespräch über Wissenschaft, Objektivität und den Nutzen philosophischer Reflexion. Im zweiten Dialog treibt Feyerabend einem bildungsbeflissenen Interviewer, der dem berühmten Professor beim Waldspaziergang auflauert, die allzu hehren Vorstellungen von Philosophie aus. Der Leser erhält dabei einen bündigen Abriß von Feyerabends Maximen im Umgang mit Philosophie und Wissenschaftsgeschichte.

Paul K. Feyerabend, geboren 1924, gestorben 1993, lehrte von 1958 bis zu seiner Emeritierung 1990 Philosophie an der Universität of California in Berkeley und ab 1980 Geschichte und Philosophie der Wissenschaften an der Eidgenössischen Technischen Hochschule in Zürich. Wichtige Veröffentlichungen in deutscher Sprache. ›Erkenntnis für freie Menschen‹ (veränd. Ausgabe 1980), ›Wider den Methodenzwang‹ (1986), ›Irrwege der Vernunft‹ (1989). Im Fischer Taschenbuch Verlag erschien 1995 ›Über Erkenntnis. Zwei Dialoge‹ (Band Nr. 12775).

Paul K. Feyerabend

Die Torheit der Philosophen

Dialoge über die Erkenntnis

Aus dem Englischen von Henning Thies

Fischer Taschenbuch Verlag

Ungekürzte Ausgabe
Veröffentlicht im Fischer Taschenbuch Verlag GmbH,
Frankfurt am Main, September 1997

Lizenzausgabe mit freundlicher Genehmigung
des Junius Verlags GmbH, Hamburg
Englische Titel der beiden Dialoge:
›Platonic Phantasies‹ und
›Concluding Unphilosophical Walk in the Woods‹ (1990)
Die italienische Ausgabe erschien 1991
unter dem Titel ›Dialoghi sulla conoscenza‹
bei Gius. Laterza & Figli Spa, Roma-Bari
Für die deutsche Ausgabe:

Gesamtherstellung: Clausen & Bosse, Leck
Printed in Germany
ISBN 3-596-13222-3

Gedruckt auf chlor- und säurefreiem Papier

Inhalt

Platonische Phantasien

(Schauplatz des folgenden Dialogs ist das Seminargebäude einer berühmten Universität. Die Seminarsitzung findet in einem schäbigen kleinen Raum mit Tisch und Stühlen statt. Wenn man aus dem Fenster schaut, fällt der Blick auf Bäume, Vögel, geparkte Autos und zwei Bagger, die gerade ein großes Loch ausheben. Allmählich füllt sich der Raum mit verschiedenen Charakteren: Arnold, ein ernster Student, Brillenträger, mit einem Stapel Bücher unter dem Arm und verächtlichem Blick; Maureen, eine attraktive Rothaarige, die anscheinend etwas verwirrt ist; Leslie, ein Gammler (oder sonst wenigstens ein Typ – vermutlich ein weiterer Student –, der wie ein Gammler aussieht und nur darauf wartet, beim geringsten Anlaß den Raum verlassen zu können); Donald, ein schwer einzuordnendes Individuum mit Schreibblock und gut gespitztem Bleistift; Charles, ein koreanischer Student mit spöttischen Augen hinter seiner Hochglanzbrille; Seidenberg, ein älterer Herr mit starkem mitteleuropäischem Akzent, der sich in dieser Umgebung sichtlich nicht ganz wohl fühlt; Li Feng, ein chinesischer Student, Physiker oder auch Mathematiker, wenn man die Titel der Bücher, die er vor sich auf den Tisch legt, als Anhaltspunkt nimmt; Gaetano, ein schüchterner Junge, der so aussieht, als würde er Gedichte schreiben; Jack, ein Logiker, mit den lässigen Umgangsformen und der präzisen Ausdrucksweise der amerikanischen Spielart dieser Spezies und mit einer großen Aktentasche …

Dr. Cole, der Seminarleiter, kommt herein. Er ist etwa 32, neu in der Fakultät, intelligent, wenn auch eher im engeren Sinne, und hat soeben bei Donald Davidson mit einer Arbeit über den Skeptizismus promoviert. Jetzt ist er bereit, seine neue Weisheit unter die Leute zu bringen.)

DR. COLE *(öffnet seinen Mund).*
(Der erste Bagger macht einen Höllenlärm.)
(Der zweite Bagger macht einen Höllenlärm.)
LESLIE *(gibt einen Kommentar ab und lacht; Donald hat den Witz anscheinend verstanden und sieht verärgert aus.)*
DR. COLE *(verläßt den Raum, um die Situation zu klären.)*
(Beide Bagger veranstalten einen Höllenlärm.)
(Zehn Minuten später. Dr. Cole kommt zurück, zeigt wild gestikulierend auf die Tür, geht hinaus; die anderen folgen mit resigniertem Gesichtsausdruck.)
MAUREEN *(auf dem Korridor zu Arnold)*: Ist das hier der Kurs über postmodernes Kochen?
LESLIE *(der die Frage mitbekommen hat, lacht laut auf)*: Postmodernes Kochen? Da bist du genau richtig. Das ist der Kurs.
ARNOLD: Nein, nein. Das hier ist ein Seminar über Epistemologie.
LESLIE: Und wo liegt der Unterschied? Sie soll dableiben.
MAUREEN: Aber ich wollte eigentlich wirklich ...
DR. COLE *(auf einen anderen Raum weisend)*: Bitte hier hinein.
(Jetzt befinden wir uns in einem riesigen fensterlosen Raum mit einem Tisch und einigen sehr neuen, aber auch sehr unbequemen Stühlen darin.)
DR. COLE *(setzt sich an die Stirnseite des Tisches)*: Entschuldigen

Sie bitte die Verzögerung und das Durcheinander. Jetzt können wir endlich mit unserem Seminar über Epistemologie beginnen ...

DAVID UND BRUCE *(erscheinen in der Tür)*: Ist dies das philosophische Seminar?

DR. COLE *(leicht irritiert)*: *Ein* Seminar. Es gibt noch andere ...

DAVID *(sieht ins Vorlesungsverzeichnis)*: ... Ich meine das über Epi... Epi...

BRUCE: Epistemologie.

DAVID: Ja, genau; da wollen wir rein.

DR. COLE *(stärker irritiert als zuvor)*: Ich hoffe, Sie wissen, worauf Sie sich da einlassen. Nehmen Sie bitte Platz. *(Setzt sich selbst hin, öffnet seine Aktentasche und nimmt Notizen und sein Exemplar des* Theaitetos *heraus.)* Nun, ich halte es für das beste, wenn wir für unsere Diskussion einen klaren Fokus haben und die Sache nicht einfach laufenlassen, und deshalb habe ich mir gedacht, daß wir uns heute Platons Dialog *Theaitetos* vornehmen.

JACK: Bleiben wir damit nicht etwas hinter der Zeit zurück?

DR. COLE: Was wollen Sie damit sagen?

JACK: Nun, *(nimmt sein Exemplar des Dialogs aus der Aktentasche)* dieser Mensch hat doch vor über zweitausend Jahren gelebt, und er hat die moderne Logik und die moderne Wissenschaft nicht gekannt; was können wir da schon über Erkenntnis von ihm lernen?

BRUCE: Und du meinst, daß die Wissenschaftler wissen, was Erkenntnis ist?

JACK: Die reden nicht drüber, die bringen sie hervor.

BRUCE: Ich weiß ja nicht, an welche Wissenschaften du jetzt denkst, aber in meinem Fachgebiet, der Soziologie, wird immer noch über die »richtige Methode« gestritten. Auf der einen Seite sagt man uns, daß es ohne Statistik keine gesicherte Erkenntnis geben könne. Doch andere sagen, daß man ein »Gefühl« für seinen Untersuchungsgegenstand entwickeln muß; deshalb studiert man Einzelfälle im Detail und schreibt dann drüber, fast wie ein Romanschriftsteller. Gerade kürzlich hat es einen kleinen Skandal um das Buch *The Social Transformation of American Medicine* gegeben; darin diskutiert der Autor, Paul Starr, einige sehr interessante Phänomene. Er hatte Belege, aber er konnte nicht mit Zahlen aufwarten. Und so haben sich einflußreiche Soziologen schlicht geweigert, ihn ernst zu nehmen. Andere, genauso einflußreiche Soziologen haben ihn verteidigt und die Art und Weise kritisiert, wie in diesem Fall mit Statistik umgegangen wurde. Und in der Psychologie haben wir die Behavioristen oder die auf Introspektion Festgelegten oder die Neurologen oder die klinischen Psychologen ...

JACK: Na ja, die Sozialwissenschaften ...

BRUCE: Aber das sind doch auch Wissenschaften, oder?

JACK: Habt ihr da etwa jemals etwas so Einfaches, Schönes und Erfolgreiches zustandegebracht wie Newtons Theorie?

DAVID: Natürlich nicht! Menschen sind eben komplizierter als Planeten! Und was deine wunderbaren Naturwissenschaften anbetrifft, so kommen sie ja noch nicht mal mit dem Wetter klar ...

ARTHUR *(der bisher an der Tür zugehört hat und jetzt hereinkommt, zu Jack)*: Entschuldigung, aber da mußte ich einfach die Ohren spitzen. Ich bin Wissenschaftshistoriker. Meiner Ansicht nach stellst du dir die Sache mit Newton etwas zu einfach vor. Erstens ist das, was du »einfach und schön« nennst, nicht dasselbe wie das, was du »erfolgreich« nennst – wenigstens nicht bei Newton. »Einfach und schön« – das sind seine Grundprinzipien selbst. »Erfolgreich« aber ist die Art, wie er sie anwendet. Dabei benutzt er jedoch ein ziemlich zusammenhangloses Sammelsurium neuer Annahmen; zum Beispiel nimmt er an, daß Gott periodisch in das Planetensystem eingreift, um es vor dem Auseinanderfallen zu bewahren. Außerdem philosophiert Newton tatsächlich. Er hat eine Anzahl von Prinzipien über die korrekte Vorgehensweise. Er stellt Forschungsprinzipien auf und insistiert beharrlich darauf. Das Problem ist nur, daß er gegen ebendiese Prinzipien in dem Augenblick verstößt, wo er mit der praktischen Forschungsarbeit beginnt. Und dasselbe gilt für viele andere Physiker. In gewisser Weise sind sich die Wissenschaftler gar nicht klar darüber, was sie tun ...

JACK: Wenn sie zu philosophieren anfangen... Ich kann ganz gut verstehen, warum sie selbst konfus werden, wenn sie sich auf dieses konfuse Gebiet begeben.

ARTHUR: Und ihre Forschungen bleiben von ihrer Konfusion unberührt?

JACK: Wenn ihre Philosophie zu Konfusion in ihrer Forschung führt, dann ist das wieder ein Grund mehr, die Philosophie aus der Wissenschaft herauszuhalten.

ARTHUR: Und wie willst du das machen?

JACK: Man soll sich so eng wie möglich an seine eigenen Beobachtungen halten.

ARTHUR: Und was ist mit Experimenten?

JACK: Natürlich braucht man beides, Beobachtungen und Experimente!

ARTHUR: Aber warum denn Experimente?

JACK: Weil man sich auf Beobachtungen mit dem bloßen Auge nicht immer verlassen kann.

ARTHUR: Und woher weißt du das?

JACK: Das sagen mir andere Beobachtungen.

ARTHUR: Heißt das, eine Beobachtung sagt dir, daß du einer anderen Beobachtung nicht trauen kannst? Wie das?

JACK: Das weißt du nicht? Na, dann halt mal einen Stock ins Wasser, dann sieht er krumm aus. Aber du weißt trotzdem, daß er gerade ist, weil du es fühlen kannst.

ARTHUR: Aber wie kannst du das wissen? Das Gefühl des Geradeseins könnte doch trügen.

JACK: Stöcke biegen sich nicht, wenn man sie ins Wasser hält.

ARTHUR: Wirklich nicht? Auch nicht, wenn man seinen Beobachtungen folgt, wie du mir geraten hast? Hier *(er nimmt ein Glas Wasser, das vor Dr. Cole gestanden hat, und hält einen Bleistift hinein)* – schau her!

JACK: Aber was fühlst du, wenn du ihn berührst?

ARTHUR: Nun, ganz ehrlich, ich spüre die Kälte, und ich bin mir nicht ganz sicher, daß ich die Gestalt des Bleistifts beurteilen kann. Aber nehmen wir mal an, ich wäre dazu in der Lage – dann wäre doch alles, was ich tun kann, wenn ich deinen Vorschlägen folge, daß ich eine Liste aufstelle: Bleistift gekrümmt, wenn ich ihn anschaue, während er im Wasser ist; Bleistift gerade, wenn ich ihn anfühle, während er im Wasser ist; Bleistift unsichtbar, wenn ich meine Augen schließe ... und so weiter. »Bleistift« ist dann also durch eine solche Liste definiert.

JACK: Das ist ja absurd. Da ist doch der Bleistift!

ARTHUR: Okay. Wenn du über etwas sprechen willst, das feste Eigenschaften hat, selbst wenn niemand es anschaut, dann kannst du das gerne tun; aber dafür mußt du über reine Beobachtungen hinausgehen.

JACK: Okay. Da hast du recht. Aber das ist doch reiner, gesunder Menschenverstand; das hat doch nichts mit Philosophie zu tun.

ARTHUR: Und ob! In vielen philosophischen Debatten, auch in dem Dialog, der hier vor uns liegt, geht es um genau diese Frage!

JACK: Ja, wenn du das unter Philosophie verstehst, meinetwegen. Für mich aber hat die Annahme, daß Objekte nicht nur aus Listen von Beobachtungen bestehen, sondern Einheiten mit eigenen Merkmalen sind, allein mit dem gesunden Menschenverstand zu tun – und genau nach diesem Maßstab richten sich die Wissenschaftler.

ARTHUR: Aber das stimmt doch gar nicht. Wenigstens nicht nach dieser Art von gesundem Menschenverstand. Was wir vor uns haben, sagte Heisenberg bei der Arbeit an einem seiner frühen wissenschaftlichen Artikel, sind Spektrallinien, ihre Frequenz und ihre Intensität – laßt uns also nach einem Schema suchen, das uns sagt, wie diese Dinge zusammenhängen, ohne daß wir irgendwelche zugrundeliegenden »Objekte« postulieren. Und dann führte er die Matrizen ein – Listen, wenn auch ziemlich komplizierte Listen.

JACK: Okay. Dann sage ich also, daß Wissenschaftler dem gesunden Menschenverstand folgen – es sei denn, ihre Erfahrung legt ihnen etwas anderes nahe. Dann brauchen wir die Philosophie aber immer noch nicht.

ARTHUR: Moment mal, ganz so einfach ist die Sache nicht! Du sprichst jetzt von »Erfahrung« – doch was du meinst, sind komplizierte experimentelle Ergebnisse.

JACK: Ja.

ARTHUR: Und komplizierte Experimente sind oft voller Tükken, besonders wenn wir uns mit einem neuen Forschungsgebiet beschäftigen. Tücken praktischer Art – etwa, wenn

Geräteteile nicht so funktionieren, wie sie sollen – und Tücken theoretischer Art – etwa, wenn einzelne Effekte übersehen oder falsch kalkuliert wurden.

JACK: Dafür haben wir doch Computer.

ARTHUR: Auch da gibt es Unsicherheitsfaktoren. Computer sind so programmiert, daß sie mit Annäherungswerten arbeiten, und diese können so kumulieren, daß verzerrte, ungenaue Resultate herauskommen. Wie dem auch sei – es gibt jede Menge Probleme. Denk doch nur an die vielen Versuche, magnetische Monopole oder isolierte Quarks zu finden. Manche Leute haben sie gefunden, andere nicht, und wieder andere haben Dinge gefunden, die irgendwo dazwischen liegen.

JACK: Und was hat das alles mit Philosophie zu tun?

ARTHUR: Darauf komme ich gleich! – Aber würdest du zugestehen, daß es nicht unbedingt klug wäre anzunehmen, daß alle Experimente in einem neuen Bereich auf Anhieb dieselben Resultate ergeben?

JACK *(zögernd)*: Jaaaa?

ARTHUR: Dann könnte also eine gute Theorie, eine ausgezeichnete Theorie wegen dieses Phänomens in Schwierigkeiten geraten. Und unter einer »guten« Theorie verstehe ich eine, die mit allen fehlerlosen Experimenten übereinstimmt. Und weil es manchmal Jahre, wenn nicht gar Jahrhunderte dauert, bis alle Fehler und Unzulänglichkeiten ausgebügelt sind, benötigen wir einen Weg, Theorien am Leben zu erhalten, auch wenn sie anscheinend mit der Sachlage nicht übereinstimmen.

JACK: Jahrhunderte?

ARTHUR: Sicher. Denk doch mal an die Atomtheorie. Die geht auf Demokrit zurück, und das ist wirklich lange, lange her.

Danach wurde sie häufig und, wenn man den damaligen Kenntnisstand betrachtet, mit ausgezeichneten Argumenten kritisiert. Gegen Ende des vorigen Jahrhunderts hielten einige europäische Physiker sie nur noch für ein vorsintflutliches Monster, das in den Naturwissenschaften nichts mehr zu suchen hatte. Trotzdem wurde die Theorie weiter am Leben gehalten, und das war gut so, denn auf der Atomtheorie basierende Ideen haben oft Hervorragendes zur Wissenschaft beigetragen. Oder nehmen wir die Idee, daß sich die Erde bewegt! Die gab es schon in der Antike, und sie wurde von Aristoteles massiv und mit recht vernünftigen Argumenten kritisiert. Aber die Erinnerung daran blieb lebendig, und das war für Kopernikus sehr wichtig, der die Idee wiederaufgriff und ihr zum Durchbruch verhalf. Es ist also ganz gut, wenn man widerlegte Theorien irgendwie am Leben hält! Es ist gut, wenn man sich nicht allein auf Erfahrung und Experimente verläßt!

JACK: Aber worauf dann? Auf den Glauben?

ARTHUR: Nein, nein, wir sind Wissenschaftler, und deshalb wollen wir's mit Argumenten versuchen. Also, die Argumente, die wir brauchen, sollen Beobachtungen berücksichtigen, aber ihnen keine letztgültige Autorität zusprechen. Unsere Argumente legen die Hypothese von einer Welt zugrunde, die unabhängig von dem ist, was uns die verfügbaren Beobachtungen sagen, und die gleichwohl auch mit einer bestimmten zurückgewiesenen Sicht der Dinge zusammenpassen könnte.

JACK: Aber das ist ja die reinste Metaphysik!

ARTHUR: Genau! Du hast eine Wahl – wenn du fruchtbar Wissenschaft treiben willst, kannst du dich entweder auf den Glauben verlassen oder aber auf die Vernunft. Im zweiten

Fall mußt du notwendigerweise Metaphysiker werden – wenn wir Metaphysik als eine Disziplin definieren wollen, die nicht auf Beobachtungen basiert, sondern die Dinge unabhängig von dem untersucht, was die Beobachtungen nahelegen. Kurz und gut, eine gute Wissenschaft ist auf metaphysische Argumente angewiesen, damit sie weiterkommt; ohne diese philosophische Dimension wäre sie nicht, was sie heute ist ...

JACK: Nun, darüber muß ich erstmal nachdenken. Wie dem auch sei – eine solche Philosophie wäre eng mit der Forschung verknüpft – aber was haben wir denn hier bei Platon? *(zeigt auf das Buch)* – einen Dialog, fast eine Seifenoper, viel Geschwätz hin und her ...

GAETANO: Platon war ein Dichter ...

JACK: Ja, wenn er das war, dann beweist das doch nur meine These; diese Art Philosophie brauchen wir mit Sicherheit nicht!

ARNOLD *(zu Gaetano)*: Ich glaube nicht, daß man sagen kann, daß Platon ein Dichter war! Er hat ein paar sehr unangenehme Dinge über die Dichtung gesagt. Ja, er hat sogar von einem »langandauernden Krieg zwischen Philosophie und Dichtung« gesprochen und sich dabei eindeutig auf die Seite der Philosophen gestellt.

JACK *(geht wieder zum Angriff über)*: Das ist ja noch schlimmer, als ich dachte! Er mochte die Dichtung nicht, trotzdem konnte er keinen anständigen Essay schreiben, und so verfiel er auf eine langweilige Art von Dichtung ...

ARNOLD: Halt! Halt! Dazu muß ich noch etwas zur Erklärung sagen. Platon ist gegen die Dichtung. Aber er ist auch gegen das, was du vielleicht wissenschaftliche Prosa nennst, und er sagt das sogar ganz ausdrücklich ...

MAUREEN: Hier in diesem Dialog?

ARNOLD: Nein, in einem anderen Dialog, im *Phaidros.* Ein wissenschaftlicher Essay, so impliziert er, ist weitgehend Betrug.

BRUCE: War das nicht irgendein Aufsatztitel? »Ist ein wissenschaftlicher Artikel Betrug?« oder so ähnlich ...

ARTHUR: Ja, du hast recht: von Medawar, einem Nobelpreisträger – aber ich weiß nicht mehr, wo das stand.

ARNOLD: Wie dem auch sei – was Platon daran beunruhigte, war, daß ein Essay Resultate liefert, vielleicht auch ein paar Argumente, aber daß er immer und immer wieder dasselbe sagt, wenn du Fragen an ihn stellst.

ARTHUR: Aber ein geschriebener Dialog sagt auch immer und immer wieder dasselbe. Der einzige Unterschied ist, daß die Botschaft nicht von nur einer Person verkündet wird, sondern von vielen. Nein, was bei einem wissenschaftlichen Paper wirklich bedenklich ist, ist, daß dir da Märchen erzählt werden. Als Tom Kuhn die noch lebenden Beteiligten der Quanten-Revolution interviewte, haben sie zunächst nur wiederholt, was schon gedruckt vorlag. Aber Kuhn hatte sich bestens vorbereitet. Er hatte Briefe gelesen und informelle Berichte, und die haben alle etwas ganz anderes gesagt. Er brachte die Sache zur Sprache, und ganz allmählich haben sich die Leute dann erinnert, was damals wirklich geschehen war. Auch Newton paßt in dieses Bild. Schließlich heißt Forschung ja nichts anderes, als daß man sich mit höchst idiosynkratischem Material auseinandersetzt ...

JACK: Aber es gibt doch Standardausrüstungen für Experimente.

ARTHUR: Wie wenig ihr Logiker doch über das Bescheid wißt,

was wirklich in den Labors und Observatorien abläuft! Standardgeräte sind okay, wenn du nur Standardarbeit zu erledigen hast: aber nicht für eine Forschung, die versucht, die Wissenschaft weiter voranzutreiben. Da benutzt du entweder deine Standardausrüstung auf unkonventionelle Weise, oder du mußt völlig neue Dinge erfinden, deren Nebeneffekte dir nicht vertraut sind. Du mußt dich also mit deinen Apparaten so vertraut machen, wie du auch neue Menschen kennenlernst, und so weiter – und nichts von alledem findet Eingang in die traditionellen Veröffentlichungen. Doch solche Dinge sind Gegenstand von Konferenzen, Seminaren und Treffen im kleinen Kreis. Solche Diskussionen, wo ein Thema definiert und durch eine fortlaufende Debatte im Fluß gehalten wird, sind ein absolut unverzichtbarer Bestandteil der wissenschaftlichen Erkenntnis, besonders wenn der wissenschaftliche Fortschritt rasant ist. Ein Mathematiker, ein Hochenergiephysiker, ein Molekularbiologe, der nur die neuesten Artikel kennt, hinkt nicht nur um Monate hinterher, er versteht nicht einmal, worum es bei dem gedruckt Vorliegenden überhaupt geht; da könnte er genausogut gleich aufgeben. Ich habe den *Phaidros* auch gelesen, und mir scheint, daß dies genau das ist, worum es Platon ging: Er wollte den »lebendigen Austausch«, wie er es nennt. Ein solcher Austausch, und nicht irgendein stromlinienförmiger Querschnitt daraus, ist es, der Erkenntnis und Wissen definiert. Deshalb war es auch ganz natürlich, daß er Dialoge schrieb und nicht wissenschaftliche Prosa, die es zu seiner Zeit ja auch schon gab und die damals bereits recht weit entwickelt war. Trotzdem ist es aber nicht der Dialog, der die Erkenntnis beinhaltet, sondern die Debatte, die ihm zugrunde liegt und an die sich der Teilnehmer erinnert, wenn er den Dialog liest. Ich würde sagen, daß Platon zumindest in dieser Hinsicht sehr modern ist!

DONALD *(mit klagender Stimme)*: Können wir jetzt nicht endlich mit Platon anfangen? Wir haben hier einen Text – und dies ganze Gerede über die Wissenschaft geht über meinen Horizont. Außerdem gehört es nicht in ein Seminar über Epistemologie. Hier müssen wir definieren, was Erkenntnis ist ...

MAUREEN: Ich bin auch etwas durcheinander; ist das hier der Kurs über ...

LESLIE: ... postmodernes Kochen? Aber ja doch! – Aber du hast recht. Ich möchte auch etwas mehr über Platon hören. Ich habe mir gerade die letzte Seite angesehen *(er hat sich Donalds Exemplar des Dialogs genommen und zeigt auf eine bestimmte Passage)* – und ich finde das recht seltsam. Als alles vorüber ist, geht Sokrates zu seiner Gerichtsverhandlung. Wurde er nicht hingerichtet?

DR. COLE: Nun, ich denke, wir sollten am Anfang beginnen.

SEIDENBERG: Darf ich mir eine Bemerkung erlauben?

DR. COLE *(blickt verzweifelt zur Decke)*.

SEIDENBERG: Nein, ich glaube, es ist wirklich wichtig. Zuerst dachte ich, dieser junge Herr dort *(zeigt auf Leslie)* wäre an der Philosophie nicht sonderlich interessiert ...

LESLIE: Danke für das Kompliment ...

SEIDENBERG: Nein, nein, aber Sie sind es doch. Sehen Sie! Sie haben sich die letzte Seite vorgenommen, und plötzlich wurde Ihr Interesse geweckt.

LESLIE: Nun, das ist ja auch wirklich etwas seltsam ...

SEIDENBERG: Nein, überhaupt nicht. Sokrates war zwar der Gottlosigkeit angeklagt worden und mußte sich vor der Gerichtsversammlung verantworten. Das Todesurteil war nur ein möglicher Prozeßausgang. In einem anderen Dialog, im *Phaidon*, ist er sogar schon zum Tode verurteilt und soll das Gift bei Sonnenuntergang trinken; er tut's und stirbt, direkt am Ende des Dialogs.

MAUREEN *(allmählich weniger verwirrt und recht interessiert)*: Wollen Sie damit sagen, daß Sokrates philosophiert, obwohl er weiß, daß er sterben muß?

LESLIE: Verrückt! Ein Gelehrter, der redet und redet, obwohl er weiß, daß die Henker direkt vor dem Klassenraum auf ihn warten. Wie hängt das bloß alles zusammen?

SEIDENBERG *(erregt)*: Und nicht nur das! Die beiden Hauptpersonen des Dialogs, den Dr. Cole mit uns lesen will, Theaitetos und Theodoros, waren historische Figuren, beide hervorragende Mathematiker. Und Theaitetos, heißt es in der Einleitung, war in der Schlacht schwer verwundet worden und starb kurz darauf an der Ruhr. In gewisser Weise ist der Dialog zu seinem Gedenken geschrieben worden. Zum Andenken an einen großen Mathematiker, der gleichzeitig ein tapferer Kämpfer war. Das ist alles höchst interessant. Zuerst die Tatsache, daß es sich um einen Dialog handelt; das hat nichts mit Dichtung im oberflächlichen Sinn des Wortes zu tun, mit schönen Worten; das hat vielmehr mit einem besonderen Begriff von Wissen und Erkenntnis zu tun – und dieser Begriff ist auch heutzutage noch sehr lebendig, wie Arthur gesagt hat, und nicht etwa in *(mit einem Seitenblick auf Jack)* »rückständigen Fächern«, sondern in den angesehensten und sich am schnellsten fortentwickelnden Disziplinen wie Mathematik und Hochenergiephysik. Zweitens gibt es da eine »existentielle Dimension«, wie man das nennen könnte – die Art und Weise, wie das ganze Gespräch in Extremsituationen des wirklichen Lebens eingebettet ist. Für mein Gefühl ist das etwas ganz anderes als weite Teile der modernen Philosophie, wo man nur die logischen Merkmale von Begriffen analysiert und der Meinung ist, das wäre alles, was sich darüber sagen läßt.

DAVID *(zögernd)*: Ich habe den Dialog gelesen, weil ich für die heutige Sitzung gut vorbereitet sein wollte. Ich habe mich auch über das Ende gewundert, aber ich kann nicht erkennen, daß es irgendeinen Einfluß auf die Debatte hat. Diese Debatte klingt nämlich ziemlich ähnlich wie der Philosophiekurs, aus dem ich gerade komme; da ist einer, der sagt, Erkenntnis ist Erfahrung ...

DR. COLE: Wahrnehmung ...

DAVID: ... Erkenntnis ist Wahrnehmung, und jemand anderes hat Gegenbeispiele, und so weiter. Zugegeben, der Dialog ist etwas umständlich – aber *im* Dialog selbst merkt man vom Tod überhaupt nichts. Am Ende sagt Sokrates plötzlich, daß er zum Gericht muß. Er hätte genausogut sagen können, daß er Hunger hat und etwas essen will. Jedenfalls scheint das nur als Effekt angefügt zu sein; den Begriffen selbst verleiht es keinerlei existentielle Dimension ...

SEIDENBERG: Aber im *Phaidon* ...

CHARLES: Ich hab' ihn dabei *(hebt ein Buch in die Höhe)* – es ist meiner Meinung nach sogar noch schlimmer. Wie fängt es an? Da ist Sokrates mit einigen seiner Bewunderer. Und da ist seine Frau, *(er liest aus dem Buch vor)* »sein Söhnchen auf dem Arm haltend«. Sie weint. »Nun«, sagt sie, »reden diese deine Freunde zum letzten Male mit dir, Sokrates« – wenigstens nach dem etwas herablassenden Bericht von diesem Phaidon, dem Hauptredner. »Sie redete allerlei dergleichen, wie die Frauen in solchen Situationen zu tun pflegen« – so spricht der über sie. Und was macht Sokrates? Er bittet seine Freunde, sie nach Hause zu bringen, damit er sich über Höheres unterhalten kann. Ganz schön gefühllos, würde ich sagen.

MAUREEN: Aber er steht doch kurz vor seinem Tod!

CHARLES: Warum sollte man jemanden ernst nehmen und ihm erlauben, sich wie ein Scheißkerl aufzuführen, nur weil er kurz vor seinem Tod steht?

BRUCE: Außerdem hatte er doch selbst schuld!

MAUREEN: Was soll das heißen?

BRUCE: Sollte er denn nicht zu den Richtern sprechen, die ihn verurteilt hatten, ihm aber die Chance gaben, sich selbst zu verteidigen? Und was hat er getan? Er hat sie auf den Arm genommen – lies doch in der *Apologie* nach! Nach diesem Auftritt haben sie ihn sogar mit noch größerer Mehrheit verurteilt. Für die Gerichtsversammlung hatte er genausowenig übrig wie für seine Frau und seinen kleinen Sohn.

MAUREEN: Aber er starb für seine Überzeugungen, da hat er nicht nachgegeben.

CHARLES: Das gilt auch für Göring und die Nürnberger Prozesse. »Macht«, sagte er, »es kommt auf die Macht an – und uns ist es gut gegangen, solange wir sie hatten.« Und dann hat er Selbstmord begangen, genau wie Sokrates.

SEIDENBERG: Ich glaube nicht, daß es statthaft ist, Menschen auf diese Art und Weise zu vergleichen.

LESLIE: Warum denn nicht? Beide sind doch Mitglieder der menschlichen Rasse! Charles hat schon recht: Wenn man für seine Überzeugungen stirbt, wird man dadurch nicht automatisch zum Heiligen. Und sehen Sie mal, was er hier sagt – auf diese Passage bin ich gerade gestoßen. Was heißt das übrigens? Da steht eine 173 am Rand ...

DR. COLE *(will etwas sagen).*

ARNOLD *(der ihm zuvorkommt)*: Das ist eine Seitenzahl aus der Standardausgabe, auf die sich die Wissenschaftler meistens beziehen ...

LESLIE: Abartig!

ARNOLD: Nein, recht praktisch. Es gibt so viele Ausgaben, Übersetzungen etc. etc., die sich alle voneinander unterscheiden. Statt irgendeine obskure Übersetzung zu zitieren, die dir gerade in die Hände gefallen ist und die keiner kennt, gibst du einfach diese eine Seitenzahl an, eben die aus der Standardausgabe ...

LESLIE: ... ist mir egal; aber was er an dieser Stelle wohl sagt, ist, daß es einen Unterschied zwischen einem normalen Bürger und einem Philosophen gibt. Was er hier über den Philosophen sagt, gefällt mir: daß er »ruhig und mit Muße seine Untersuchungen anstellt, gerade wie wir jetzt schon die dritte anstellen, wie sie eine aus der anderen gefolgt sind« – genauso haben wir hier geredet, und allein darum sitze ich noch hier. Aber dann sagt er, daß ein »Prozeßvertreter« immer in Eile ist, denn vor Gericht ist die Redezeit beschränkt. Und er verspottet den Anwalt, weil der immer in Eile ist und weil es »oft um das Leben« geht, wie er sagt. Ich kann mir nicht helfen, aber ich habe den Eindruck, daß er nicht nur Rechtsanwälte meint, sondern auch ganz normale Bürger. Die haben nicht soviel Geld wie Platon, die müssen sich um ihre Familie und ihre Kinder kümmern. Denkvorgänge, bei denen es ein Leben lang dauert, bis einfache Fragen geklärt sind, bringen ihnen nichts – da würden sie sehr bald Hunger leiden. Sie müssen anders denken. Doch anstatt mit ihnen und ihrer Lage zu sympathisieren und die von ihnen gefundenen Lösungen zu loben, macht sich Sokrates über sie lustig und straft sie mit Verachtung, genauso wie er es mit der Gerichtsversammlung gemacht hat.

DR. COLE: Hier handelt es sich aber um Platon, nicht um Sokrates ...

LESLIE *(ein wenig sauer)*: Platon oder Sokrates, das ist mir ganz egal! Es gibt da eine Auffassung von Philosophie, und die steht genau hier in diesem Dialog mit seiner »existentiellen Dimension«, und sie besagt, daß alles, was Leute denken und tun, um zu überleben und das Überleben ihrer Familien zu sichern, nichts Besseres verdient als Verachtung.

GAETANO: Ich glaube, da bist du auf etwas Richtiges gestoßen *(zieht ein Buch aus seiner Tasche)* – hier habe ich eine deutsche Übersetzung des *Phaidon* mit einer Einleitung von Olof Gigon, einem hervorragenden klassischen Philologen. Er schreibt auch was über Sokrates, wie er seine Frau und seinen kleinen Sohn wegschickt, nämlich: »Beide repräsentieren die Welt der einfachen, unphilosophischen Menschlichkeit, die Achtung verdient, aber zurücktreten muß, wenn die Philosophie auf den Plan tritt.« [Artemis-Jubiläumsausgabe, Bd. 3: Meisterdialoge, Zürich/München 1974, S. XVIII] »Zurücktreten muß« – das heißt doch nichts anderes, als daß normale Menschen, die philosophisch ungebildet sind, nicht zählen, wenn ein Philosoph seinen Mund aufmacht – auch wenn es gleichzeitig der eigene Ehemann ist.

MAUREEN: Dann ist also dieses ganze Gerede über den Tod nur heiße Luft?

GAETANO: Nein, das glaube ich nicht. Platon wollte wirklich das, was er für wahre Erkenntnis hielt, dramatisieren, indem er es mit einer neuen Vision des Todes verband. Wenigstens hat er einen weiteren Horizont als *(zu Jack)* deine Wissenschaftler ...

CHARLES: Aber jeder Faschist hat das doch auch, was du einen »weiteren Horizont« nennst, denn für ihn ist die Wissenschaft nur »Teil eines größeren Ganzen«, oder was die Leute sonst noch in diesem Zusammenhang sagen ...

SEIDENBERG *(zögernd)*: Wie Sie hier über Platon sprechen, das macht mir doch ein wenig Sorge. Ich weiß, daß es heute altmodisch ist, Respekt vor Bildung und Gelehrsamkeit zu haben, und ich sehe auch, warum das so ist; es ist oft Mißbrauch damit getrieben worden. Trotzdem glaube ich, daß Sie, meine Herren, ein wenig zu weit gehen. Ich komme aus einer Generation, für die Wissen und Aufklärung ernste Angelegenheiten waren. Jeder wußte, daß es Gelehrte gab, und jeder hatte Respekt vor ihnen, auch die Armen. Für uns waren unsere Intellektuellen, unsere Philosophen, unsere Dichter die Menschen, die uns Erleuchtung brachten, die uns zeigten, daß es noch andere Dinge gibt als das elende Leben, das wir führten. Sehen Sie, ich komme aus einer sehr armen Familie, aus dem »einfachen Volk«, von dem Sie gesprochen haben. Aber ich habe nicht den Eindruck, daß Sie solche Leute wirklich kennen, wenigstens kennen Sie die Armen in dem Land, aus dem ich komme, nicht. »Unser Sohn«, haben meine Eltern gesagt, »soll haben, was wir nicht haben konnten; er soll eine gute Bildung bekommen. Er soll in der Lage sein, die Bücher zu lesen, die wir nur von weitem ansehen konnten und die wir nicht verstanden hätten, wenn wir sie in unseren Händen gehalten hätten.« Und so haben sie gearbeitet. Sie haben ihr ganzes Leben gearbeitet und gespart, um mir eine gute Bildung zu ermöglichen. Ich selbst habe auch gearbeitet, als Buchbinderlehrling. Und da hatte ich eines Tages eine vierzehnbändige Platon-Werkausgabe in der Hand – etwas ramponiert, und ich sollte sie neu einbinden. Sie können sich gar nicht vorstellen, wie ich mich gefühlt habe. Das war wie das Gelobte Land – aber vor ihm lagen viele Hindernisse. Ich hätte diese Bücher unmöglich kaufen und behalten können. Und selbst wenn ich sie hätte kaufen können, hätte ich sie dann verstanden? Ich öffnete einen der Bände und stieß auf eine Passage, in der Sokrates spricht. Ich kann mich nicht mehr erinnern, was er sagt, wohl aber, daß ich das Gefühl hatte, als spräche er direkt zu mir, in freundlichem, sanftem und doch etwas spöttischem Ton. Und dann kamen die Nazis. Es gab bereits Studenten, die für den Nazismus waren, und die – es tut mir leid, meine Herren, daß ich das sagen muß – redeten genauso wie Sie hier – mit Verachtung in der Stimme. Hier herrscht die neue Zeit, sagten sie, also Schluß mit all diesen alten Schriftstellern! Ich stimme ihnen zu, daß Platon oft etwas gegen Trivialitäten hat, daß er sie meidet und sich gelegentlich darüber lustig macht. Aber ich glaube nicht, daß er sich über die dazugehörigen Menschen lustig macht; er verspottet die Sophisten, die dogmatisch verkünden, daß es nur Alltägliches gebe, daß das alles sei. Denn die einfachen Menschen selbst, wenigstens die einfachen Leute, die ich kenne, sind nicht so. Sie hoffen auf ein besseres Leben, wenn schon nicht für sich selbst, dann wenigstens für ihre Kinder. Wissen Sie, es gibt da etwas ganz Interessantes bei den Daten der Dialoge. Die ersten Dialoge, die Platon nach dem Tod des Sokrates schrieb, hatten nichts mit seinem Hinscheiden zu tun. Das waren vielmehr Komödien wie der *Euthydemos* oder der *Ion*, voller Witz und Spott. Die *Apologie*, der *Phaidon* und der *Theaitetos* kamen erst später, vermutlich erst, nachdem Platon die pythagoreische Lehre von einem Leben nach dem Tode verdaut hatte. Und so erhält der Tod nun einen anderen Akzent – er stellt jetzt einen Anfang dar, nicht ein Ende. Und es stimmt, daß Sokrates, der historische Sokrates, die Demokratie nicht »total gut« fand, wie Sie wohl heute sagen würden. Er sah, daß es auch Probleme mit der Demokratie gibt. Der Überlieferung nach verspottete er die Demokratie als eine Institution, in der ein Esel zum Pferd wird, wenn sich nur genügend Leute finden, die das per Abstimmung beschließen können. Aber ist nicht genau das ein Problem, mit dem wir heute konfrontiert sind? Wenn wir die Rolle der Wissenschaft in der Gesellschaft und insbesondere in einer Demokratie diskutieren? Nicht alles läßt sich per Abstimmung entscheiden – aber wo ist die Grenze, und wer soll sie ziehen? Für Platon war die Antwort klar: Diejenigen, die sich mit der Materie befaßt haben, die Weisen, sie sollen die Grenze bestimmen! Meine Eltern und ich haben genau dasselbe gedacht. Natürlich hatte Platon Geld und mehr Zeit – aber kreiden Sie ihm das doch nicht an! Er hat sein Geld nicht wie andere Leute aus seinen Kreisen ausgegeben, für Intrigen, Pferderennen und politische Machtspielchen. Er liebte Sokrates, der arm, häßlich und ungehobelt war. Er hat über ihn geschrieben, nicht nur, um ihn zu ehren, sondern auch, um die Grundlagen für ein besseres Leben zu legen – ganz ähnlich, wie die moderne Friedensbewegung sich für ein besseres Leben einsetzt. Erinnern Sie sich doch – das war damals die Zeit des Peloponnesischen Krieges und politischer Morde; die Demokratie wurde abgeschafft, wiederhergestellt und sah sich dann Intrigen ausgesetzt. Was ich also sagen wollte, ist, daß wir diesen Menschen dankbar sein sollten, statt über sie herzuziehen ...

LI FENG: Ich verstehe, was Sie sagen wollen, mein Herr, und ich habe dafür vollstes Verständnis, nicht nur, weil ich glaube, daß eine Gemeinschaft oder eine Nation weise Männer benötigt, sondern auch, weil ich der Ansicht bin, daß ein Leben ohne eine Spur von Ehrfurcht für irgend etwas ein recht oberflächliches, hohles Leben ist. Aber ich sehe da ein Problem, wenn diese Ehrfurcht nicht durch eine gewisse gesunde Skepsis aufgewogen wird. Ich glaube, daß die jüngste Geschichte meines Landes dafür ein gutes Beispiel ist ...

GAETANO: Aber da gibt es doch viel näherliegende Beispiele; die mögen zwar verglichen mit dem, was du *(an Li Feng gerichtet)* gerade ansprichst, recht trivial erscheinen, aber meiner Ansicht nach liegen gerade da die Gründe, warum Leslie und Charles so heftig reagiert haben. Manche Dozenten hier und manche Doktoranden behandeln die Großen ihres Faches gerade so, als seien sie Götter; die können ja keine Zeile mehr schreiben, ohne Nietzsche oder Heidegger oder Derrida zu zitieren, und ihr ganzes Leben besteht anscheinend nur noch daraus, zwischen ein paar Ikonen hin- und herzupendeln. Sie, mein Herr *(an Seidenberg gewandt)*, haben höchstwahrscheinlich zu einer Zeit und in einer Gemeinschaft gelebt, wo man zu den Weisen noch eine persönliche Beziehung hatte – und zu dem, was sie gesagt haben. Ich glaube nicht, daß es das heute noch gibt. Statt dessen haben wir viel Konformitätsdruck, und vor allem haben wir statt des lebendigen Diskurses, der Platon vorschwebte, nur hohle Phrasen, kombiniert nach Schema F. Das ist ein abstoßendes Phänomen – kein Wunder also, daß Leslie und Charles in die Luft gehen, wenn sie etwas ähnliches bzw. scheinbar ähnliches bei einem antiken Autor entdecken. Und dann ist da noch etwas – die demokratische Art, mit Leuten umzugehen – die Art, wie die Athener offenbar die Menschen gesehen haben – die Art, wie sie anscheinend Sokrates gesehen haben. »Ja, dieser Sokrates«, haben sie vielleicht gesagt, »den kennen wir. Der ist ein bißchen verrückt, der hat nichts Besseres zu tun, als herumzustehen und die Leute zu belästigen – aber der ist kein wirklich schlechter Mensch, und manchmal sagt er sogar tolle Sachen.« Sie haben über ihn gelacht, als sie ihn auf der Bühne gesehen haben, in den *Wolken* von Aristophanes – und Sokrates selbst hat wohl mit ihnen gelacht. Respekt, mit Skepsis gemischt, und gelegentlich auch etwas Spott. Man kann sogar noch weiter gehen. Denn wenn wir Heraklit trauen können, dann haben die Leute aus Ephesus ungefähr folgendes gesagt: Wir wollen keinen in unserer Mitte, der der Beste ist – laß so einen anderswo und unter anderen Leuten leben. Eine solche Einstellung ist meiner Meinung nach sehr vernünftig. Das heißt ja nicht, daß alle Leute mit Spezialwissen rausgeworfen werden – sondern nur jene, die wegen ihres Spezialwissens eine Sonderbehandlung beanspruchen! Auf alle Fälle ist Spott tausendmal besser als Mord oder eine todernste Kritik, die nur dazu dient, den Kritiker durch das dem Kritisierten zugesprochene Format um so größer erscheinen zu lassen, denn natürlich kann man nicht der Größte werden, wenn man nur Idioten attackiert. Ich vermute, daß hier der wahre Grund liegt, warum Autoren ohne Talent sich mit anderen Autoren ohne Talent aufhalten und darauf bestehen, daß sie ernst genommen werden.

DR. COLE: Ich glaube, wir haben uns jetzt ziemlich weit von unserem Thema entfernt. Außerdem kann man einen Autor nicht aufgrund weniger, aus dem Zusammenhang gerissener Zeilen beurteilen. Was spricht eigentlich dagegen, daß wir den Dialog jetzt mehr im Zusammenhang lesen und erst danach über seinen Wert entscheiden? Platon hat über die Erkenntnis ein paar sehr interessante Dinge zu sagen – beispielsweise über den Relativismus. Sicher haben Sie über den Relativismus schon etwas gehört.

CHARLES: Meinen Sie Feyerabend?

DR. COLE *(schockiert)*: Nein, ganz bestimmt nicht. Aber es gibt kompetente Leute, die meinen, mit guten Argumenten zeigen zu können, daß alles, was man sagt, und daß alle Gründe, die man für das Gesagte angibt, von einem »kulturellen Kontext« abhängen, also von der jeweiligen Art des Lebens, an dem man teilhat.

LI FENG: Soll das etwa heißen, daß wissenschaftliche Gesetze keine universale Gültigkeit haben?

DR. COLE: Genau! Sie sind korrekt, wenn man der westlichen Zivilisation angehört, und sie sind korrekt, wenn man sie an den von dieser Zivilisation entwickelten Prozeduren und Maßstäben mißt – aber in einer anderen Kultur sind sie nicht nur unwahr, sondern ergeben überhaupt keinen Sinn.

JACK: Weil die Leute sie gar nicht verstehen.

DR. COLE: Nein, nicht nur, weil die Leute sie nicht verstehen, sondern weil ihre Kriterien zur Bewertung dessen, was Sinn ergibt, und dessen, was keinen Sinn ergibt, ganz andere sind. Wenn man sie mit den Keplerschen Gesetzen konfrontiert, dann sagen sie nicht nur: »Was heißt das?«, sondern sie sagen: »Das ist ja das reinste Kauderwelsch!«

BRUCE: Hat sie denn wirklich schon mal jemand danach gefragt?

DR. COLE: Das weiß ich nicht – aber das ist auch irrelevant, denn den Relativisten geht es dabei um einen logischen Ansatz.

JACK: Soll also heißen, Relativisten sagen nicht: »Wenn man weit entfernt lebende Fremde mit Newtons Theorie konfrontiert, dann sagen diese: ›Das ist Unsinn‹«, sondern vielmehr: »Nach den impliziten Kriterien eines von weit entfernten Fremden entwickelten Gedankensystems ist Newtons Theorie Unsinn.«

DR. COLE: Ja, genau.

JACK: Dem liegt jedoch die Annahme zugrunde, daß weit entfernte Fremde, wie eigentlich jede Kultur, ein »Gedankensystem« haben, das benutzt werden kann, um solche Urteile abzugeben.

DR. COLE: Natürlich.

JACK: Aber stimmt das denn? Und ist das nicht letztlich eine empirische Frage? Und wer hat diese empirische Frage untersucht?

DR. COLE: Linguisten und Soziologen.

JACK: Aber wenn Newtons Theorie für eine Kultur oder für eine Epoche Unsinn sein kann, wie können Menschen aus dieser Kultur sie dann je lernen, und wie ist dann die ganze Theorie überhaupt jemals entstanden?

BRUCE: Es gibt doch Revolutionen – hast du denn Kuhns Buch nicht gelesen? Übergänge zwischen verschiedenen Denkweisen krempeln dann Maßstäbe, Grundprinzipien und alles andere um.

JACK: Revolution ist doch bloß ein Wort! Ich kenne Kuhn nicht sehr gut, aber ich frage mich, wie eine solche Revolution vor sich geht. Argumentieren die Leute denn während einer Revolution nicht?

BRUCE: Und ob.

JACK: Und finden sie dabei einen Sinn?

DR. COLE: In gewisser Hinsicht nein.

CHARLES *(verächtlich)*: Und mit »in gewisser Hinsicht« meinen Sie: gemäß der Ansicht, daß Argumente nur in bezug auf ein bestimmtes System Sinn ergeben.

DR. COLE: Ja.

CHARLES: Aber Jack hat diese Ansicht doch gerade in Frage gestellt, da können Sie sie jetzt nicht als Erwiderung auf das heranziehen, was Jack gefragt hat, nämlich: Ergeben Argumente in einer Umbruchphase Sinn? Da müssen Sie schon auf andere Weise zu einer Antwort kommen.

DR. COLE: Wie denn?

CHARLES: Beispielsweise, indem Sie untersuchen, wie die Menschen auf solche Argumente reagiert haben.

DR. COLE: Nun, eine Sache, die uns die Geschichte lehrt, ist doch, daß sich neue Gruppen bilden, alte Gruppen aussterben ...

CHARLES: Und das soll Ihrer Meinung nach ein Beweis dafür sein, daß Argumente in einer Umbruchphase Durchsetzungskraft besitzen?

DR. COLE: Da geht es nicht länger nur um Argumente, sondern um Bekehrungen. Es bilden sich neue Gruppen, und die haben neue Maßstäbe.

CHARLES: Nun mal langsam! Erstens stimmen Ihre Fakten nicht. Zum Beispiel wurden viele Leute, die zuvor Anhänger des Aristoteles gewesen waren, Kopernikaner, als sie Kopernikus oder Galilei lasen oder Galilei hörten. Es bildeten sich natürlich neue Gruppen, aber diese Gruppen hatten sich argumentativ von ihren alten Überzeugungen abgewandt, und zwar mit Hilfe von Prozeduren, die sie immer noch beibehielten. Es gab keinen vollständigen »Systemwechsel«. Zweitens, nehmen wir mal an, es sei eine Sache der Bekehrung – wozu werden diese Leute denn dann bekehrt? Entweder ist das neue System schon da, dann haben wir keine Bekehrung, oder es ist nicht da, und dann haben wir eine Bekehrung zum Nichts. Nein, so einfach kann die Sache nicht sein. Ich würde eher sagen, daß Argumente auch in einer Umbruch- und Übergangsphase Sinn machen, nicht für alle Leute, denn es gibt überhaupt kein Argument, das allen Leuten sinnvoll erscheint; für manche aber ergeben sie einen Sinn, und das heißt nichts anderes, als daß die Ansicht, es gebe »Systeme«, die allein dem Gesagten Bedeutung verleihen, falsch sein muß.

JACK: Genau das wollte ich sagen. Wie zwingend ein Argument ist, hängt von Maßstäben ab, und diese werden in einer Revolution verändert. Demnach kann also eine Revolution entweder nicht auf Argumenten basieren, oder aber es hängt nicht von einem »Gedankensystem« ab, wie zwingend Argumente sind. Und wenn letzteres gilt, ist der Relativismus auf dem Holzweg. Hat er jedoch recht, dann sind wir für immer in einem System gefangen, bis ein Wunder uns ein anderes System beschert, und dann sind wir wiederum darin gefangen. Wirklich eine seltsame Ansicht!

DONALD: Diskutiert Platon diese Meinung?

DR. COLE: Ja, er setzt sich mit einem der ersten Relativisten in der Geschichte des Abendlandes, Protagoras, auseinander.

BRUCE: Hat sich denn der Relativismus seither überhaupt nicht weiterentwickelt?

DR. COLE: Ja und nein. Die Grundposition ist immer noch ganz ähnlich wie die des Protagoras, doch gibt es heute eine ganze Reihe von Absicherungen, die die ganze Sache schwieriger erscheinen lassen, als sie in Wirklichkeit ist.

BRUCE: Sie meinen, Protagoras sagt dasselbe wie moderne Relativisten, aber er sagt es einfacher.

DR. COLE: Ja, so kann man das sagen. Aber jetzt wollen wir endlich mit dem Dialog anfangen!

LI FENG: Wo, bitte?

DR. COLE: Hier, bei 146 ... Sokrates bittet Theaitetos, Erkenntnis zu definieren.

ARTHUR: Ich finde das absurd.

JACK: Was meinst du damit?

ARTHUR: Überhaupt den Versuch, Erkenntnis zu definieren.

JACK: Aber das ist doch ein Standardverfahren, in den Wissenschaften und anderswo. Man hat einen langen Ausdruck, das ist lästig, und deshalb entschließt man sich, eine Abkürzung einzuführen; und der Satz, der erläutert, was wofür als Abkürzung dient, heißt eben Definition.

ARTHUR: Aber die Situation ist hier doch gerade die Umkehrung derjenigen, die du gerade beschrieben hast! Die Erkenntnis ist doch schon da, es gibt die Künste und Fertigkeiten, die verschiedenen Berufe, Theodoros und Theaitetos haben ein beträchtliches mathematisches Wissen, und jetzt soll Theaitetos auf einmal dieses große, widerspenstige Sammelsurium auf eine griffige Kurzformel bringen. Hier geht es doch gar nicht darum, eine lange Formel abzukürzen, vielmehr soll ein gemeinsamer Nenner für die Elemente einer heterogenen, bunten Mischung gefunden werden, die sich darüber hinaus auch noch ständig verändern.

JACK: Nun, irgendwo muß doch eine Grenzlinie gezogen werden, ganz besonders heute, wo es Leute gibt, die Astrologie, Hexerei und Magie wiederbeleben wollen. Manche Dinge sind eben Erkenntnis, andere nicht – da stimmst du mir doch zu, oder?

ARTHUR: Natürlich. Aber ich glaube nicht, daß man die Grenzlinie ein für allemal ziehen kann, noch dazu mit Hilfe einer einfachen Formel. Ich glaube nicht einmal, daß sie sich ziehen läßt, so wie man eine Verkehrsregel verordnet. Grenzen tauchen auf, verblassen, verschwinden wieder – als Teil eines sehr komplexen historischen Prozesses ...

JACK: Das stimmt aber nicht. Die Philosophen haben oft Grenzlinien gezogen und Erkenntnis definiert ...

ARTHUR: ... und wer hat sich an ihre Definitionen gehalten? Sieh mal, Newton hat, als er seine Forschungen zur Optik verteidigte, eine Grenzlinie gezogen und sie dann sofort überschritten. Die Forschung ist eine viel zu komplizierte Angelegenheit, als daß man da einfachen Grenzziehungen folgen könnte. Und Theaitetos weiß das! Sokrates fragt: »Was ist Erkenntnis?« Und Theaitetos antwortet ...

DONALD: Wo steht das?

ARTHUR: Irgendwo in der Mitte von 146. Also, er antwortet, Erkenntnis sei »dasjenige, was jemand von Theodoros lernen kann, ... die Meßkunst [Geometrie] nämlich und die anderen, welche du jetzt eben genannt hast« – gemeint sind Astronomie, Harmonie und Arithmetik. Und dann fährt er fort: »aber auch auf der anderen Seite die Schuhmacherkunst und die Künste der übrigen Handwerker scheinen mir alle und jede nichts anderes zu sein als Erkenntnis«. Diese Antwort ist vollkommen in Ordnung; denn Erkenntnis ist eine komplexe Sache, verschieden in unterschiedlichen Gebieten, und daher ist die beste Antwort auf die Frage »Was ist Erkenntnis?« eine ganze Liste. Ich würde noch weitere Details hinzufügen und die verschiedenen Schulen nennen, die es innerhalb eines jeden Gebiets gibt. Auf alle Fälle aber ist die Idee, daß sich Erkenntnis, und übrigens auch Wissenschaft, auf eine einfache Formel bringen läßt, ein reines Hirngespinst.

ARNOLD: Nein, das ist kein Hirngespinst, das hat man doch schon getan. Eine solche Kurzcharakterisierung lautet beispielsweise: Erkenntnis ist, was der Kritik offensteht.

BRUCE: Aber kritisieren kann man doch alles, nicht nur Erkenntnis.

ARNOLD: Nun, dann muß ich's noch spezifischer eingrenzen: Der Anspruch auf wahre Erkenntnis besteht nur, wenn die Person, die den Anspruch erhebt, auch vorher sagen kann, unter welchen Umständen sie den Anspruch zurücknehmen würde.

LESLIE: Moment mal, Gegenstand dieser Definition ist doch nicht »Erkenntnis«, sondern »Erkenntnisanspruch«.

ARTHUR: Das würde mir nichts ausmachen, ganz im Gegenteil. Denn jetzt kann ich meinen Einwand sogar noch präziser formulieren: Gemäß deiner Definition von »Erkenntnisanspruch« erheben die meisten wissenschaftlichen Theorien keinen solchen Anspruch, denn bei einer komplizierten Theorie wissen die Wissenschaftler kaum jemals im voraus, welche besonderen Umstände sie zwingen werden, diese Theorie aufzugeben. Theorien beinhalten sehr oft stillschweigende Annahmen, die einem nicht einmal bewußt sind. Neue Entwicklungen bringen diese verborgenen Annahmen ans Licht, und erst dann kann die Kritik beginnen.

LI FENG: Kannst du ein Beispiel nennen?

BRUCE: Ja – die Annahme unendlicher Geschwindigkeit für die Übermittlung von Signalen wurde erstmals im Zuge der speziellen Relativitätstheorie bewußt gemacht. Gemäß deiner Definition müßtest du schon im Jahre 1690 sagen können, was mit Newtons Theorie im Jahre 1919 passieren wird – und das ist einfach absurd. Das ist dieselbe Art von Absurdität, die auch in der Forderung steckt, »Erkenntnis« zu definieren. Ständig erscheinen neue Gegenstände auf der Bildfläche, ständig verändern sich alte, und das heißt eben auch, daß die entsprechende Definition sehr lang sein muß, mit vielen Einschränkungen und Vorbehalten, und daß sie auch dem Wandel unterworfen sein wird.

ARNOLD: Aber du mußt doch ein Kriterium an der Hand haben, um falsche Gegenstände von echten zu unterscheiden, und dieses Kriterium muß unabhängig davon formuliert werden, welche Gegenstände gerade existieren – wie sonst könnte man sie auf objektive Weise beurteilen?

ARTHUR: »Auf objektive Weise« – auch das sind doch nur Worte. Meinst du nicht, daß etwas so Entscheidendes wie die Kriterien zur Definition von Erkenntnis sehr sorgfältig untersucht werden müssen? Und wenn sie untersucht werden, dann haben wir es mit Forschungen über Kriterien zu tun, die wiederum von Kriterien geleitet werden – du kannst dich einfach nicht selbst außerhalb aller Erkenntnis und Forschung stellen. Nehmen wir aber mal an, wir hätten ein Kriterium. Das allein reicht jedoch nicht aus. Du brauchst auch noch etwas, das mit dem Kriterium übereinstimmt – sonst hast du ja nur ein leeres Kriterium. Kaum jemand wird heute noch viel Zeit darauf verwenden, die korrekte Definition von »Einhorn« zu finden.

ARNOLD: Ich bin ja durchaus bereit zuzugeben, daß mein Kriterium das ganze als einen Betrug entlarven könnte ...

BRUCE: Ja, aber würdest du nicht weiterhin einige dieser betrügerischen Dinge nutzen und sie von anderen betrügerischen Dingen trennen? Würdest du beispielsweise nicht weiterhin einigen Ärzten mehr trauen als anderen? Oder einem Astronomen, der eine Sonnenfinsternis vorhergesagt hat, nicht aber einem Astrologen, der ein Erdbeben vorhergesagt hat? Wenn du das aber tust, dann ist dein Kriterium selbst als Betrug entlarvt; und wenn du es nicht tust, dann wirst du bald nicht mehr am Leben sein.

DAVID: Aber einige Definitionen werden allein schon aus juristischen Gründen benötigt. Die Gesetze zur Trennung von Kirche und Staat fordern zum Beispiel, daß in öffentlichen Schulen zwar Wissenschaften, aber keine religiösen Ansichten vermittelt werden sollen. Gab es da nicht einen Fall, bei dem Fundamentalisten versucht haben, einige ihrer Ideen in die Grundschulerziehung einzubringen, indem sie sie einfach als wissenschaftliche Theorien bezeichneten?

ARTHUR: Ja, in Arkansas. Es wurden Sachverständige vor Gericht gehört, sie haben ein paar einfache Definitionen abgegeben, und damit war der Fall erledigt.

CHARLES: Nun, das zeigt doch nur, daß die juristische Praxis verbesserungsbedürftig ist.

DONALD: Können wir bitte zu unserem Dialog zurückkommen? Du hast gesagt, daß eine Liste als Definition in Ordnung ist. Aber da widerspricht Sokrates.

ARTHUR: Was wendet er denn ein?

MAUREEN: Er will nur eine Sache, nicht viele.

BRUCE: Aber darüber haben wir doch gerade geredet – er kann nicht beides haben, seine Definition *und* etwas Substantielles.

MAUREEN: Aber da ist doch nur dieses eine Wort, »Erkenntnis«; warum gibt es dann nicht auch nur eine Sache?

ARNOLD: »Kreis« ist auch nur ein Wort; aber es gibt den geometrischen Kreis, den Freundeskreis, der ja nicht unbedingt in Form eines geometrischen Kreises herumsitzen muß; es gibt eine kreisförmige Argumentation, den Zirkelschluß, bei dem das, was bewiesen werden soll, schon vorausgesetzt wird, und auch da bewegen sich die Gedanken nicht in einem geometrischen Kreis ...

MAUREEN: Das ist aber nicht identisch! Es gibt einen echten Kreis, und die anderen Dinge sind ... ach, wie heißt das doch gleich?

GAETANO: Metaphern?

LI FENG: Analogien?

LESLIE: Kommt doch gar nicht drauf an – ein Wort, viele Bedeutungen, viele Gegenstände. Und Sokrates geht einfach davon aus, daß sowas nie vorkommt ...

GAETANO: Außerdem, in der Passage vor der betreffenden Frage ...

LESLIE: Wo steht das?

GAETANO: Gegen Ende von 145 – aber das kannst du im Übersetzungstext nicht finden, da mußt du dir schon den griechischen Text vornehmen – benutzt er bereits drei verschiedene Wörter: *episteme* (und das dazugehörige Verb), *sophia* (und zwei weitere Formen mit derselben Wurzel) und *manthanein*.

LESLIE *(mit sanftem, auf Seidenberg gemünztem Spott)*: Ihr großer, weiser Platon!

LI FENG: Aber Theaitetos schlägt doch selber vor, wie Erkenntnis einheitlich gefaßt werden könnte. Es stimmt: Was Sokrates sagt, ist nicht nur dogmatisch, sondern auch inkohärent. Und jetzt versucht Theaitetos, daraus etwas Sinnvolles zu machen, und zwar auf recht interessante Weise. Zur Vorbereitung seines Definitionsvorschlags beschreibt er eine mathematische Entdeckung, die er und sein Freund einige Zeit zuvor gemacht hatten.

DONALD: Ich habe versucht, diese Passage zu verstehen, doch ich habe keine Ahnung, worum es da überhaupt geht.

LI FENG: Aber das ist doch wirklich ganz einfach. Hier, fangen wir doch mal in der Mitte von 147 an, genau bei 147 d 3.

LESLIE: Was heißt das denn nun schon wieder?

ARNOLD: Das heißt: Seite 147 der Standardausgabe – schon mal gehört? – Abschnitt d dieser Seite (zur leichteren Auffindbarkeit ist jede Seite der Standardausgabe in Abschnitte unterteilt), Zeile 3.

LI FENG *(liest)*: »Theodoros zeichnete Diagramme, um uns etwas über Quadrate zu zeigen ...«

DONALD: Das steht aber nicht in meinem Text ...

LESLIE: In meinem auch nicht. Hier heißt es: »Von Quadratwurzeln zeichnete uns Theodoros etwas vor ...«

DR. COLE: Nun, früher oder später mußten wir ja auf dieses Problem stoßen – nicht alle Übersetzungen sagen dasselbe.

DONALD: Können denn die Übersetzer kein Griechisch?

DR. COLE: Ja und nein. Platons Griechisch ist keine lebende Sprache, deshalb müssen wir uns auf Texte verlassen. Nun gebrauchen aber verschiedene Autoren dieselben Wörter auf unterschiedliche Weise, und daher gibt es nicht nur Altgriechisch-Lexika, sondern auch Speziallexika für Homer, Herodot, Platon, Aristoteles etc. Außerdem haben wir es hier mit einer mathematischen Passage zu tun, und die Person, die hier spricht, ist Mathematiker. Mathematiker aber benutzen gewöhnliche Ausdrücke oft in einem technischen Sinn, und dann ist der Sinn nicht immer klar. *Dynamis*, das Wort, das in Ihrem Text als »Quadratwurzel« übersetzt ist, bedeutet normalerweise »Kraft, Macht«; auch in ökonomischen Zusammenhängen kommt es vor. Die Gelehrten haben nun lange gebraucht, um herauszufinden, daß hier höchstwahrscheinlich »Quadrat« gemeint ist. Bei allen schwierigeren Passagen wie dieser hier wird es solche Probleme geben.

DONALD: Und was kann man da tun?

DR. COLE: Griechisch lernen.

DONALD: Griechisch lernen?

DR. COLE: Ja, oder man muß sich eben damit abfinden, daß das, was man als Übersetzung bekommt, nur eine ziemlich verstümmelte Form dessen ist, was im Text »wirklich« vor sich geht. *(Zu Li Feng)* Ihre Übersetzung scheint von jemandem zu stammen, der sich bei den speziellen Schwierigkeiten unserer Passage sehr gut auskannte ...

LI FENG *(schaut in seinen Text)*: Sie stammt von einem gewissen McDowell.

DR. COLE: Ach, John – ja, der weiß ganz genau, was er tut, wenigstens an dieser Stelle. Lesen Sie bitte weiter!

LI FENG: »Theodoros zeichnete Diagramme, um uns etwas über Quadrate zu zeigen – nämlich, daß ein Quadrat mit einem Flächeninhalt von drei Quadratfuß und eines von fünf Quadratfuß, was ihre Seitenlänge anbetrifft, nicht kommensurabel sind mit einem Quadrat von einem Quadratfuß Flächeninhalt ...«

DONALD: Was heißt denn »kommensurabel«?

LI FENG: Nehmen wir mal an, wir haben ein Quadrat von drei Quadratfuß. Dann läßt sich die Seitenlänge dieses Quadrates nicht durch eine endliche Dezimalzahl ausdrücken oder, einfacher gesagt, durch einen Bruch mit jeweils einer ganzen Zahl in Zähler und Nenner, ganz egal, wie groß sie sind.

DONALD: Und woher weiß man das?

DR. COLE: Dafür gibt es einen Beweis ...

ARTHUR: Genauer gesagt, dafür gibt es verschiedene Arten von Beweisen ...

DR. COLE: ... und einige davon waren bereits in der Antike bekannt. Recht einfache Beweise, aber wir sollten uns damit nicht im einzelnen beschäftigen. Akzeptieren Sie einfach, daß es solche Beweise gibt, daß sie Theodoros bekannt waren und daß er sie mit Diagrammen illustriert hat.

LI FENG *(fährt fort)*: »... mit einem Quadrat von einem Quadratfuß Flächeninhalt; und so weiter, wobei er jeden Einzelfall einzeln auswählte, bis hin zum siebzehnfüßigen Quadrat.«

JACK: Heißt das, daß er für jede dieser Zahlen einen eigenen Beweis führte?

DR. COLE: Ja. Wie Theaitetos im Fall der Erkenntnisdefinition führte auch er eine Liste mit irrationalen Zahlen an, beginnend mit der Quadratwurzel von 3, und jede dieser Zahlen war mit einem anderen Beweis verbunden.

JACK: Wenn es nun aber nur einen einzigen Beweis gegeben hätte, und zwar denselben für eine beliebige Anzahl von Zahlen, der bei der Anwendung auf eine Zahl gezeigt hätte, ob sie irrational ist oder nicht, dann wäre dieser Beweis ein allgemeingültiges Kriterium für Irrationalität gewesen.

LI FENG: Genau darum geht es. Theaitetos aber macht etwas anderes. Er teilt alle Zahlen in zwei Klassen ein, von denen die eine die Zahlen der Form A mal A enthält, die andere die Zahlen der Form A mal B, wobei A sich von B unterscheidet und A und B jeweils ganze Zahlen sind; die Zahlen der ersten Art nennt er dann quadratisch, die Zahlen der zweiten Art rechteckig.

JACK: Aha, und die Seiten der Quadrate, deren Flächen sich mit einer quadratischen Zahl angeben lassen ...

LI FENG: Die nennt er »Längen« ...

JACK: ... sind rationale Zahlen, und die Seiten der Quadrate, deren Flächen sich mit »rechteckigen« Zahlen angeben lassen ...

LI FENG: ... und die er »Wurzeln« nennt ...

JACK: ... sind irrationale Zahlen. In dieser Terminologie werden also irrationale Zahlen als Wurzeln klassifiziert und nicht länger einzeln nacheinander aufgezählt. Ziemlich clever.

LESLIE: Und Sokrates wünscht sich nun also dasselbe für die Erkenntnis?

DR. COLE: Ja, genau.

BRUCE: Aber Erkenntnis ist nicht dasselbe wie Zahlen.

DR. COLE: Genau das sagt Theaitetos auch.

BRUCE: Und er hat recht. Zahlen sind ziemlich einfach, transparent, und sie ändern sich nicht. Erkenntnis aber kann recht kompliziert sein, sie ändert sich ständig, und verschiedene Leute sagen Unterschiedliches darüber. In gewisser Weise ist der Unterschied zwischen Zahlen und Erkenntnis wie der Unterschied zwischen Elementarphysik, wo einfache und allgemeingültige Gesetze gelten, und beispielsweise der Meteorologie, wo man's mal mit diesem Trick versucht, mal mit jenem. Außerdem ist Erkenntnis nicht einfach da, sie wird von Menschen gemacht, sie ist wie ein Kunstwerk ...

DAVID: Du meinst, Erkenntnis ist eine Sozialwissenschaft ...

BRUCE: Keine Sozialwissenschaft, aber ein soziales Phänomen. Jetzt sieht es aber so aus, als wollte Sokrates, daß alle Bereiche der Erkenntnis wie die Mathematik sind, wo man allgemeine Begriffe hat, die viele verschiedene Fälle und Theoreme über diese Fälle abdecken. Nun, was antwortet Sokrates denn dem Theaitetos?

DAVID *(schaut in den Text)*: Er redet da eine Menge über die Hebammenrolle – Moment, ich hab's gleich – ja, hier hat er Theaitetos endlich, wo er ihn hinhaben will, und hier gibt er eine Definition: Erkenntnis ist Wahrnehmung, Perzeption!

MAUREEN: Und darüber wird nicht debattiert?

DAVID *(schaut wieder in den Text)*: Nein, Sokrates besteht einfach auf einer Definition, und schließlich gibt ihm Theaitetos eine.

ARNOLD: Nun stellt mal nicht so hohe Ansprüche an Theaitetos; der war damals, als sich der Dialog abgespielt haben soll, gerade erst sechzehn Jahre alt.

BRUCE: Nein, ich rede ja auch über Sokrates. Das Problem wird gar nicht diskutiert; es wird einfach als selbstverständlich vorausgesetzt, daß Erkenntnis, die ganze Erkenntnis, nicht nur die mathematischen Anteile daran, wie die Mathematik ist ...

DR. COLE: Nicht ganz. Wenn wir hier je das Ende des Dialogs erreichen, dann werden Sie sehen, daß wir ohne eine Definition dastehen. Drei Definitionen werden vorgeschlagen, drei Definitionen werden zurückgewiesen, und dann muß Sokrates zur Gerichtsverhandlung. Einige spätere Philosophen haben Platon allein aus diesem Grund zu den Skeptikern gerechnet. Karneades, einer der späteren Leiter der Schule, war sogar selbst Skeptiker.

LESLIE: Aber ist der *Theaitetos* denn nicht später als die *Politeia (Der Staat)*?

DR. COLE: Ja, da haben Sie recht. Davon geht man im allgemeinen aus. In der *Politeia* scheint die Sache mit der Erkenntnis mehr oder weniger entschieden zu sein. Im *Theaitetos* hängt sie dann wieder in der Luft, und wesentlich später, im *Timaios*, heißt es dann von der Erkenntnistheorie der *Politeia*, sie sei ein Entwurf, der erst noch an der tatsächlichen, unvollkommenen Gestalt und Entwicklung von Menschen, Gesellschaften und dem gesamten Universum überprüft werden müsse. Es reicht also nicht, wenn wir nur einen

Dialog betrachten, sondern wir müssen die ganze Sequenz im Auge behalten.

MAUREEN: Wird denn in diesem Dialog, den wir hier lesen, überhaupt nichts geklärt?

DR. COLE: Doch, einiges schon, beispielsweise die Sache mit dem Relativismus.

CHARLES: Sie meinen Protagoras?

DR. COLE: Ja.

CHARLES: Da hakt es anfangs aber ganz gewaltig. Theaitetos sagt: »Wissen ist Perzeption«, und Sokrates erwidert: »Diese Erklärung gibt auch Protagoras.« Und dann zitiert er ihn: »Der Mensch ist das Maß aller Dinge, der seienden, daß sie sind, der nichtseienden, daß sie nicht sind ...«

DONALD: Warum hältst du dich nicht an den Text? Hier steht doch: »der Existenz von Dingen, die sind«.

DR. COLE: Denken Sie daran, es handelt sich um eine Übersetzung! Und in diesem Fall hat uns der Übersetzer eine Paraphrase geliefert ...

DONALD: Eine Paraphrase?

DR. COLE: Nun ja, er hat nicht Wort für Wort übersetzt, denn das würde im Deutschen wohl etwas seltsam klingen, vielmehr hat er eine etwas elegantere Ausdrucksweise gewählt. So gehen viele Übersetzer vor; Platon braucht gelegentlich lange Beschreibungen für Dinge, für die die Übersetzer einen ganz einfachen Begriff zu haben glauben. Doch oft stand Platon selbst dieser Begriff gar nicht zur Verfügung, und so ist ihre Übersetzung nicht nur eine Paraphrase, sondern obendrein auch noch anachronistisch. Aus all diesen Gründen sollten wir sehr vorsichtig sein mit Phrasen wie »Platon sagt dies« oder »Platon sagt das« ...

CHARLES: Und er sagt, daß ein menschliches Wesen das Maß

aller Dinge ist – er sagt aber nicht, wie das menschliche Wesen denn »mißt« – das kann Perzeption sein, das kann Intuition sein, das können frühere Erfahrungen sein.

ARNOLD: Aber wir haben ein paar andere Hinweise. Aristoteles sagt zum Beispiel, daß laut Protagoras die Tangente den Kreis nicht nur in einem Punkt berührt, sondern in mehr als einem; das klingt doch ganz so, als würde er sich auf die Wahrnehmung verlassen.

CHARLES: Nun, jeder Quantentheoretiker würde dasselbe sagen, aber nicht, weil ihm das seine Wahrnehmung signalisiert, und außerdem, schau dir mal 167 an, wo Sokrates Protagoras seine Ansichten ausführlicher erläutern läßt. Hier vergleicht der sokratische Protagoras den Lehrer mit einem Arzt. Ein Arzt heilt die Kranken, sagt er, indem er Arzneien benutzt. Der Kranke nimmt wahr, daß er in einem schlechten Zustand ist, und sagt laut Protagoras korrekt, daß er in einem schlechten Zustand sei. Der Arzt verwandelt den schlechteren Zustand des Patienten in einen besseren – aber damit verändert er nicht Wahres in Falsches, denn das Urteil des Patienten ist als Maßstab der Dinge immer wahr. Auf dieselbe Weise, sagt Protagoras, »machen weise und gute Redner wiederum, daß den Staaten anstatt des Verderblichen das Heilsame gerecht zu sein scheint« – oder, wie ich eher sagen würde, den Bewohnern einer Polis, eines Stadtstaates. Nun sind aber gut und böse, verderblich und heilsam, gerecht und ungerecht keine Begriffe, die der Wahrnehmung offenstehen – die Menschen beurteilen das Gute und das Böse auf ganz unterschiedliche Weise, aber sie beurteilen es eben, und sie sind deshalb auch Maßstäbe dafür. So gibt uns also Platon selbst eine Darstellung des Protagoras, die der Gleichsetzung seines Homo-mensura-Satzes mit der Idee, daß Erkenntnis Perzeption sei, widerspricht. Aus Protagoras nun aber einen naiven Empiriker zu machen, das grenzt schon an Rufmord.

LESLIE: Hier steht doch das Beispiel vom Wind, der dem einen kalt erscheint, dem anderen warm ...

MAUREEN: Nun, das könnte doch bloß als Beipiel gemeint sein.

LESLIE: Und die Idee, daß sich alles ständig verändert ...

CHARLES: Auch das folgt nicht aus dem, was Protagoras über den Menschen als Maß der Dinge sagt. Im Gegenteil, manche Leute finden, wenn sie ihre Umgebung »messen«, daß die Dinge immer gleich bleiben, und werden entsprechend gelangweilt ...

MAUREEN: Und dann gibt es ja auch noch die vom Menschen geschaffenen Wissenschaften, die Regelmäßigkeiten und Wiederholungen entdecken.

ARNOLD: Außerdem gibt es noch einen anderen Dialog, den *Protagoras*, wo Protagoras selbst auftritt und empfiehlt, daß Menschen, die gegen die Gesetze eines Stadtstaates verstoßen, letztlich mit dem Tod bestraft werden sollen. Die Stadt hat »als Maß« entschieden, daß zuviel Veränderung von Übel ist; sie hat beschlossen, Gesetze einzuführen, um ein gewisses Maß an Stabilität zu garantieren; und sie verteidigt diese Gesetze, wenn nötig, indem sie Gesetzesbrecher, die wiederholt gegen die Gesetze verstoßen, exekutiert.

LESLIE: Und dieser Mensch wird als Relativist bezeichnet?

DR. COLE: Sie sehen, mit solchen allgemeinen Begriffen wie »Relativist«, »Rationalist«, »Empiriker« und so weiter muß man sehr vorsichtig sein.

DONALD: Trotzdem macht es Sinn, Protagoras mit dem Wandel in Verbindung zu bringen. Der Mensch ist das Maß, aber der Mensch verändert sich ständig ...

CHARLES: Nicht, wenn es nach mir geht, als Maß der Dinge, die in mir und um mich herum vorgehen. Natürlich verändere ich mich hier und da, aber ich behalte viele Ansichten bei, ich verbessere sie, finde bessere Argumente dafür, für dieselben Ansichten ...

ARNOLD: Und wer entscheidet das?

CHARLES: Laut Protagoras natürlich ich!

JACK: Ganz so einfach ist die Sache aber, glaube ich, nicht. Was du da sagst, ist, daß Platon Protagoras ziemlich willkürlich mit der Doktrin des Wandels in Verbindung bringt. Aber schau dir doch mal dieses Beispiel in 154 an ...

DONALD: Die Würfel?

JACK: Ja.

DONALD: Das habe ich überhaupt nicht verstanden.

JACK: Wirst du aber, wenn du mit bestimmten Annahmen an die Sache herangehst. Wir haben da sechs Würfel – das sind mehr als vier und weniger als zwölf. Wir haben von den sechs Würfeln nichts weggenommen, die sechs sind genau gleich geblieben, und doch sind sie weniger geworden.

DONALD: Das ist doch banal – »größer« und »kleiner« sind Relationen.

JACK: Aha! Wir haben hier also stabile Dinge, sechs Würfel hier, vier Würfel und zwölf Würfel da, und unterschiedliche Relationen zwischen ihnen. Auch der Homo-mensura-Satz des Protagoras führt eine Relation ein, zwischen dem, was ist, und dem Akt des Messens. Doch da haben wir keine stabilen Einheiten mit zwischen ihnen bestehenden Relationen, vielmehr ist die Situation eher umgekehrt – alles, WAS IST, wird erst durch eine Relation konstituiert: Erst der Meßvorgang läßt es SEIN. Deshalb glaube ich, daß das, was Sokrates in 153 d 3 ff. sagt, vollkommen angemessen ist. Mit Bezug auf den Sehvorgang kannst du weder sagen, daß die Farbe, die du siehst, in deinen Augen IST noch daß sie außerhalb deiner Augen IST oder auch irgendwo sonst; sondern du mußt sagen, daß sowohl die Farbe als auch ihr Ort erst im Wahrnehmungsprozeß überhaupt existent werden – sie sind Teil eines untrennbaren Komplexes, der das, was ist, mit dem, was wahrgenommen wird, zu einer Einheit verbindet.

LI FENG: Einstein-Podolsky-Rosen-Korrelationen!

DONALD: Was?

LI FENG: Das ist genau, was die Quantentheorie über den Meßvorgang sagt. Da gab es ein Gedankenexperiment, das Einstein und seine Mitarbeiter eingeführt haben, um zu zeigen – genau, was auch Platon beweisen will –, daß die Dinge, schon ehe sie gemessen werden, definitive Eigenschaften haben. Die drei Physiker stellen sich eine ganz spezielle Situation vor, in der es zwei Teilchen gibt und wir die Summe ihrer Geschwindigkeiten und den Unterschied ihrer Positionen kennen ...

DONALD: Ich versteh' kein Wort – und was hat das überhaupt mit Platon zu tun?

CHARLES: Nun, das hängt davon ab, wie du einen Philosophen diskutieren willst. Willst du nur sehen, wie gut er sich, im Rahmen des Wissens seiner Zeit, mit seinem Gegner auseinandersetzt, oder willst du wissen, in welchem Maße seine Ideen in späteren Zeiten wiederbelebt worden sind? Der erste Ansatz ist sehr interessant, aber ich glaube, der zweite sogar noch mehr. Schließlich ist ein Philosophenstreit wie eine Schlacht. Die eine Seite wird besiegt – mit den Waffen, die zu der Zeit verfügbar sind. Aber die Waffen verändern sich ständig. Wir lernen Neues, unsere Mathematik wird einerseits komplizierter, andererseits wesentlich einfacher – was zuvor seitenlange Beweise erforderte, läßt sich jetzt vielleicht in ein oder zwei Zeilen erledigen –, unsere Ausrüstung für Experimente verändert sich, und so weiter. Deshalb kann eine heute aus dem Feld geschlagene Idee sich schon morgen als richtig erweisen – denk doch nur an die Vorstellung, daß sich die Erde um die Sonne bewegt. Also ist es doch sehr interessant, wenn Platon bei seinem Versuch, Protagoras zu widerlegen, eine Theorie der Wahrnehmung entwickelt, die – wenigstens uns hier – zeigt, in welchem Ausmaß Protagoras eine Theorie aus dem 20. Jahrhundert vorweggenommen hat.

DONALD: Aber um welche Theorie aus dem 20. Jahrhundert geht es denn hier?

LI FENG: Nun, das ist nicht ganz einfach – aber ich will's versuchen. Zweifellos hast du schon mal von den Unschärferelationen gehört.

LESLIE: Ja, Hasenberg.

LI FENG: Heisenberg. Nun, ganz simpel ausgedrückt, besagen diese Relationen, daß man nicht gleichzeitig Position und Impuls ...

DONALD: Was ist der Impuls?

LI FENG: Das ist so etwas Ähnliches wie Geschwindigkeit – denk's dir einfach als Geschwindigkeit. Jedenfalls – man kann nicht gleichzeitig Position und Impuls eines Teilchens mit absoluter Präzision kennen. Wenn man das eine ganz genau kennt, wird das andere damit eher vage, und umgekehrt. Diese Relationen kann man jetzt auf unterschiedliche Art und Weise interpretieren. Man kann beispielsweise sagen: Das Teilchen ist immer an einem präzisen Ort und hat eine präzise Geschwindigkeit, aber man kann sie nicht beide kennen, weil jede Messung, die man für die eine Größe durchführt, das verändert, was man über die andere Größe wissen kann.

ARNOLD: Wenn ich also die Position eines Teilchens sehr genau kenne und versuche, seine Geschwindigkeit zu messen, dann wird ebendieser Versuch meine Kenntnis der Position zunichte machen?

LI FENG: Ja, das kann man so sagen.

LESLIE: Wirklich seltsam!

LI FENG: Es gibt aber noch eine andere Interpretation der Unschärferelationen. Demnach ist es das Teilchen selbst, und nicht unsere Kenntnis von ihm, das unbestimmt wird. Wenn du zum Beispiel durch irgendeinen Trick seinen Impuls mit absoluter Präzision bestimmen kannst, dann gilt nicht nur, daß du nichts über seine Position weißt, vielmehr gibt es überhaupt nichts mehr, was man Position nennen könnte.

DONALD: Aber dann ist es doch kein Teilchen mehr.

LI FENG: Das kann man so sagen. Und was ich gerade über Position und Impuls gesagt habe, gilt auch für viele andere Paare von physikalischen Größen, beispielsweise für die x- und y-Komponenten beim Spin eines Teilchens. Ein Paar von Größen, die nicht beide gleichzeitig präzis sein können, nennt man ein Paar komplementärer Größen. Position und Impuls sind in diesem Sinne komplementär, oder, besser gesagt, jede Positionskomponente in einer bestimmten Richtung ist zu der Impulskomponente in derselben Richtung komplementär. Nun haben also Einstein und seine Mitarbeiter einen Fall konstruiert ...

CHARLES: Ein Gedankenexperiment?

LI FENG: Ja, als Einstein es neu eingeführt hat, war es ein Gedankenexperiment – in der Zwischenzeit ist es auch ein reales Experiment geworden. Also Einstein hat einen besonderen Fall konstruiert, mit dessen Hilfe er zu zeigen versuchte, daß die Quantentheorie selbst – im Zusammenhang mit einigen trivialen Annahmen – impliziert, daß Komplementärgrößen doch gleichzeitig präzise Werte haben. Ich will mal versuchen, dieses Argument zu erläutern, aber ihr müßt mich unterbrechen, wenn ihr nicht mehr mitkommt.

LESLIE: Keine Sorge, das tun wir bestimmt.

LI FENG: Einstein geht von zwei Partikeln S und R aus, und davon, daß wir ihre Entfernung voneinander genauso kennen wie die Summe ihrer Impulse.

DONALD: Aber wir können doch nicht gleichzeitig den Standort und die Geschwindigkeit kennen – das hast du doch gerade selber gesagt!

LI FENG: Da hast du vollkommen recht. Trotzdem können wir bestimmte Kombinationen der beiden Größen kennen, beispielsweise die *Differenz* zwischen den Standorten von zwei Teilchen, also ihre Entfernung voneinander, und die *Summe* ihrer Impulse – diese beiden Größen können wir mit absoluter Präzision kennen.

DAVID: Wie kommt das?

LI FENG: Ach, glaub es mir einfach – sonst kommen wir überhaupt nicht weiter. Jetzt nehmen wir einmal an, daß Teilchen R bei uns bleibt und daß Teilchen S sich so weit entfernt, daß es nicht länger durch irgend etwas beeinflußt wird, das wir in der Umgebung von R tun. Jetzt messen wir die Position von R – und das können wir mit absoluter Präzision.

BRUCE: Keine Messung hat je absolute Präzision – es gibt immer irgendwelche Fehler.

LI FENG: Aber bedenk doch, es handelt sich hier um ein Gedankenexperiment zur Quantentheorie! »Absolute Präzision« bedeutet in diesem Zusammenhang nur, daß keinem quantentheoretischen Gesetz widersprochen wird, wenn solche Präzision erreicht wird. Also, wir messen die Position von R – wir kennen die Entfernung von R und S, und so können wir nicht nur die Position von S *nach* der Messung erschließen, sondern auch seine Position *unmittelbar vor* der Messung, denn S ist ja so weit weg, daß die Tatsache, daß wir an R eine Messung vornehmen, keinerlei Einfluß auf S haben kann. Und aus demselben Grund können wir auch sagen, daß S *immer eine genau definierte Position hatte*, ganz gleich, ob wir sie gemessen haben oder nicht, weil diese Messung jederzeit hätte vorgenommen werden können. Dasselbe Argument, auf die Geschwindigkeit angewendet, sagt uns, daß S *immer einen genau definierten Impuls hatte* – somit hatte es immer eine genau definierte Position und einen genau definierten Impuls, im Widerspruch zu der zweiten Interpretation der Unschärferelationen, die ich vorhin angeführt habe.

JACK: Nun, dann müssen wir diese Interpretation offensichtlich fallenlassen.

LI FENG: Aber das können wir nicht! Denn sie wurde überhaupt nur aus einem bestimmten Grund eingeführt. Sie ist die einzige Interpretation, die in der Lage ist, verschiedene experimentelle Resultate, die scheinbar miteinander in Konflikt liegen, zu harmonisieren.

LESLIE: Nun, dann müssen wir einfach sagen, daß eine Messung ein Objekt sogar beeinflußt, wenn es sehr weit entfernt ist ...

CHARLES: Und da gibt es große Ähnlichkeit zu dem Beispiel

mit den Würfeln – Dinge ändern sich, obwohl nichts hinzugefügt oder weggenommen wird ...

LI FENG: Es sei denn, man tut, was wir hier getan haben – man bezeichnet Position und Impuls als Relationen, nicht als Eigenschaften, die den Partikeln inhärent sind, und auch nicht einfach als Relationen zwischen Dingen, die unabhängig von den Relationen stabile Eigenschaften haben, sondern als Relationen zwischen Dingen, von deren Eigenschaften sich ein Teil erst durch Interaktion konstituiert – genau wie in der visuellen Theorie, die Platon selber entwickelt und Protagoras zuschreibt. Ich halte das für sehr interessant, weil es zeigt, daß Platons Argumente gegen Protagoras auch gegen die Quantenmechanik ins Feld geführt werden können, die jedoch ziemlich fest etabliert ist.

DONALD: Also, ich habe immer noch keine Ahnung, worüber du redest! Aber ich habe den Dialog gelesen, und Sokrates führt ein paar saubere Widerlegungen dieser Idee vor, die du mit der Quantenmechanik verbindest. Nimm etwa diese hier: Die These lautet »Erkenntnis ist Wahrnehmung«. Jetzt sehe ich dich an, ich nehme dich wahr, und ich weiß, daß du hier bist. Ich schließe meine Augen, ich weiß aber immer noch, daß du hier bist, obwohl ich dich nicht länger wahrnehme. »Etwas Unmögliches scheint also zu folgen«, zieht Sokrates daraus den Schluß, »wenn jemand sagt, Erkenntnis und Wahrnehmung sei dasselbe.« Und was hast du dazu zu sagen?

DAVID *(erregt)*: Daß du nicht weit genug gelesen hast. Lies doch nur noch ein paar Zeilen weiter!

DONALD: Wo?

DAVID: Nach der Zeile, die du gerade zitiert hast! Was steht denn da?

DONALD *(liest)*: »Es kommt mir vor, als ob wir nach Art eines schlechten Kampfhahns, ehe wir noch gesiegt haben, und von der Sache abspringend, unser Siegesgeschrei anstimmten.« Das verstehe ich nicht.

BRUCE: Ganz einfach. Er sagt, daß die Argumente, die er bisher angeführt hat, nur Schwindelei waren.

DONALD: Aber warum sollte er denn so etwas tun? Zuerst eine ganze Reihe Gegenargumente konstruieren – denn dieses ist ja durchaus nicht das einzige – und sie dann alle als wertlos bezeichnen?

DR. COLE: Weil genau das die Sophisten damals taten und weil er deren Argumentationsstil entlarven wollte.

DONALD: Was? Den Umgang mit Gegenbeispielen?

DR. COLE: Genau.

DONALD: Aber ist das denn nicht das, was man auch in den Wissenschaften tut: Hypothesen aufstellen und Gegenbeispiele benutzen, um sie zu falsifizieren?

JACK: Das kommt ganz drauf an! Zum Beispiel: »Alle Raben sind schwarz.« Wie widerlegst du das?

DONALD: Durch einen weißen Raben.

JACK: Und wenn ich einen Raben weiß anmale?

DONALD: Natürlich keinen angemalten Raben!

JACK: Ja, genau das sagt Sokrates aber auch. Wenn wir unsere Augen schließen, dann *wissen* wir immer noch, aber wir *nehmen nicht* mehr *wahr*, und deshalb kann Erkenntnis nicht dasselbe sein wie Wahrnehmung – so lautete das Argument. Wenn wir einen angemalten Raben anschauen, dann sehen wir, daß es ein *Rabe* ist, aber er ist *nicht schwarz*, und deshalb sind nicht alle Raben schwarz. Wo liegt der Fehler? Wir lassen uns von der Übereinstimmung oder Nichtübereinstimmung von *Wörtern* leiten. Im Fall der Raben genügt es nicht herauszufinden, daß es einen Raben gibt, den man zutreffend mit dem *Wort* »weiß« beschreiben kann, vielmehr müssen wir außerdem auch noch wissen, welche Art Weiße wir wollen – und das ist gar nicht so einfach. (Nehmen wir mal an, ein ganzer Schwarm Raben hätte seine Farbe aufgrund einer Krankheit verloren – wie sollen wir mit diesem Fall umgehen?) Und im Fall der Erkenntnis reicht es ebenfalls nicht aus herauszufinden, daß es nichtperzeptive Erkenntnis gibt; wir müssen auch entscheiden, welche Art von Nichtwahrnehmung wir wollen. Nun kann aber ein Philosoph, der Erkenntnis und Wahrnehmung gleichsetzt (bei Protagoras sind in dieser Hinsicht allerdings Zweifel angebracht), einen sehr ausgeklügelten Perzeptionsbegriff haben, deshalb müssen wir uns noch eingehender mit seiner Theorie beschäftigen. Zum Beispiel wird er höchstwahrscheinlich nicht annehmen, daß Erinnerung (im einfachen Sinn) und Wahrnehmung es mit derselben Sache zu tun haben, denn er wird eine Theorie des Gedächtnisses haben, die mindestens ebenso kompliziert ist wie die Wahrnehmungstheorie, die Li Feng hier gerade mit der Quantentheorie verbunden hat.

DONALD: Soll das heißen, daß die Methode der Falsifikation nicht funktioniert?

JACK: Nein, nein, sie funktioniert schon, aber sie ist ein recht komplexer Prozeß. Einfache Gegenbeispiele reichen nicht aus – die können sich genauso als Chimären erweisen wie der angemalte Rabe, und wohlgemerkt, es handelt sich dabei um begriffliche Probleme! Worüber wir hier reden, sind nicht Beobachtungen, sondern die verschiedenen damit verbundenen Wesenheiten; wir reden über Metaphysik! Jede gute Widerlegung hat auch mit metaphysischen Urteilen zu tun! Was Sokrates sagt, ist, daß eine neue Theorie die Dinge auf neue Weise arrangiert, daher ist eine Zurückweisung durch den Vergleich mit Wörtern, die sich auf das alte Arrangement beziehen, unfaire Kritik. Und in genau diesem Sinne war auch die Kritik von Einstein, Podolsky und Rosen unfair.

DONALD *(niedergeschlagen)*: Dann müssen wir also wieder ganz von vorn beginnen.

DR. COLE: Ja, so ist es *(schaut auf seine Uhr)* – aber ich finde, wir sollten jetzt etwas schneller vorankommen, denn wir haben nicht mehr viel Zeit, und nächstes Mal möchte ich mit einer Diskussion über John Searle weitermachen. Also lassen Sie mich jetzt einfach mal den zweiten Komplex von Sokrates' kritischen Einwänden aufzählen ...

DONALD: Und dabei handelt es sich nun um echte Kritik, nicht nur um vorgeschobene?

DR. COLE: Ja. Im ersten Kritikpunkt geht es um die Zukunft.

MAUREEN: Aber dieser Punkt kommt doch erst viel später.

DR. COLE: Ich möchte ihn aber lieber *jetzt* behandeln, weil es um eine ganz einfache Sache geht. Schlagen Sie 177, Ende, bis 178 auf. Laut Protagoras sind gute Gesetze jene, die die meisten Bürger für gute Gesetze halten. Die Bürger meinen aber auch, daß gute Gesetze jene Gesetze sind, die den Stadtstaat, die Polis, blühen lassen – das ist der Grund für ihre Einführung. Was geschieht aber nun, wenn Gesetze, die den Gesetzgebern gut erschienen und die deshalb gut für sie waren, sich als Ruin der Polis erweisen?

LESLIE: Und was geschieht, wenn objektiv gute Gesetze sich als Ruin der Polis erweisen?

DONALD: Was willst du damit sagen?

LESLIE: Nun, Platon hatte doch offensichtlich eine Alternative im Kopf. Er greift Protagoras doch an, weil er glaubt, daß Platonische Ideen besser sind als Protagoreische Meinungen. Aber die Platonischen Ideen müssen sich genau demselben Problem stellen. Da sind sie nun: wahr, objektiv gültig, um mal dieses Wort zu benutzen, das immer dann auftaucht, wenn einige Leute andere unterdrücken wollen, aber die persönliche Verantwortung dafür nicht übernehmen wollen – und was dabei herauskommt, ist das reinste Desaster.

DR. COLE: Nun, nehmen wir mal an, Sie hätten recht. Platon selbst hat ein Problem. Aber gibt es denn nicht auch ein Problem für Protagoras?

JACK: Das glaube ich nicht. Vor einigen Jahren haben die Leute gesagt: »Diese Gesetze erscheinen uns gut, und deshalb sind sie gut für uns.« Und jetzt sagen sie: »Diese Gesetze erscheinen uns schlecht, und deshalb sind sie schlecht für uns.« Da gibt es keinen Widerspruch, genauso wie es keinen Widerspruch zwischen meiner am Dienstag gemachten Aussage »Ich fühle mich gut, und darum bin ich in einem guten Zustand« und der Aussage vom Mittwoch »Ich fühle mich schlecht, und deshalb bin ich in einem schlechten Zustand« gibt.

ARNOLD: Aber wenn das so ist, dann sehe ich ein ganz anderes Problem. Wie können die Menschen dann je eine Debatte führen? Für eine Debatte muß A in der Lage sein können, etwas zu sagen, das dem von B Gesagten widerspricht, und das heißt: Was A und B sagen, muß unabhängig von ihrer jeweiligen Geistesverfassung sein.

JACK: Nein, für eine Debatte genügt es, daß es A so scheint, als würde sich das, was B sagt, von seiner eigenen Aussage unterscheiden. Außerdem ist noch eine weitere Vorbedingung nötig: Wenn A und B einander »objektiv« widersprechen und beide es nicht bemerken, dann gibt es auch keine Debatte. Die Platonischen Ideen müssen in der Welt, in der wir leben, Spuren hinterlassen, doch wenn sie das tun, können wir auch ohne sie weitermachen.

MAUREEN: Wenn du so denkst, wie kannst du dann jemanden überzeugen, und warum würdest du dann überhaupt jemanden überzeugen wollen?

JACK: Darauf gibt Protagoras, glaube ich, eine Antwort, als er den Redner mit einem Arzt vergleicht, aber mit einem Arzt, der Wörter anstelle von Pillen als seine Arznei benutzt. Ein Philosoph sucht sich jemanden, der seiner Meinung nach verbesserungsbedürftig ist. Er nähert sich dieser Person und spricht mit ihr. Und wenn er seine Aufgabe gut erfüllt, wird seine Rede wie eine Arznei wirken und sowohl die Ideen als auch die Grundeinstellung der Person, die so irregeleitet erschien, verändern.

MAUREEN: Die letzte Aussage, nämlich: »Die Rede wird wie eine Medizin wirken«, ist doch etwas, was einfach geschieht, was aber niemandem sichtbar wird.

JACK: Nein, nein! Wenn der Philosoph seine Aufgabe gut erledigt, dann wird ihm wie seinem Patienten deutlich werden, daß die Medizin gewirkt hat, und dies wird auch einem Soziologen deutlich werden, der die Sache untersucht – obwohl er dazu eigentlich von niemandem gebraucht wird, denn der Philosoph und sein Schüler können auch ohne solche Zusatzinformationen zu einer Übereinstimmung gelangen.

MAUREEN: Du meinst, das letztlich entscheidende Kriterium ist, daß sich beide gut fühlen?

BRUCE: Ja, gilt das denn nicht für alle theoretischen Debatten?

Da hast du eine höchst abstrakte Theorie, etwa Hegel in der Philosophie oder die Supergravitationstheorie in der Physik. Die Leute reden miteinander. Du beobachtest die Unterhaltung aus der Ferne. Du kannst kein Wort verstehen, aber du siehst, daß die Sache glattgeht – die Leute haben unterschiedliche Meinungen, aber sie scheinen zu wissen, was sie da tun. Es scheint dir, daß sie wissen, worüber sie reden, obwohl das ganze für dich das reinste Kauderwelsch ist. Nun, Objektivität hin oder her, das Kriterium für Verstehen, das du im praktischen Leben verwendest, aber auch bei höchst abstrakten Gegenständen, heißt doch, daß sich dir die ganze Materie öffnet und daß du dich frei in ihr bewegen kannst.

JACK: Das gleiche kannst du auch über physikalische Theorien sagen. Da gibt es eine Theorie, und da gibt es Experimente ...

LI FENG: Für all dies kann man doch Computer einsetzen ...

JACK: Ja, natürlich, aber die Frage ist doch, warum sollen wir diese ganze Ausrüstung haben? – und hier kommen eben persönliche Urteile ins Spiel ...

LI FENG: Ja, ganz am Rande ...

JACK: Es kommt nicht darauf an, *wo* sie vorkommen, aber sie sind ganz entscheidend! Wenn Wissenschaftler plötzlich durch das, was sie tun, gelangweilt werden oder wenn sie anfangen, Halluzinationen zu bekommen, jeder auf seine Art, oder wenn sich die Allgemeinheit dem Mystizismus zuwendet, dann wird die Wissenschaft wie ein Kartenhaus zusammenfallen. Die persönlichen Urteile etwa, die die Physik in Gang halten, sind oft so versteckt und so automatisch, daß das ganze nur noch wie Berechnung und Experiment aussieht. Ich für meinen Teil würde sagen, daß es genau diese Gedankenlosigkeit ist, die den Eindruck von Objektivität erweckt! So oder so geht es um persönliche Urteile oder um einen Mangel an Urteilskraft. Ich glaube, es gibt sogar ein Buch von einem Physiker ...

ARTHUR: Einem Physikochemiker – Michael Polanyi; du meinst doch sicher sein Buch *Personal Knowledge* ...

MAUREEN: Dieses Gespräch hier hat mich sehr verunsichert: Letztlich scheint alles auf die Eindrücke hinauszulaufen, die die Menschen haben. Aber dann habe ich doch mit niemandem außer mir selbst wirklich zu tun ...

ARNOLD: Jetzt willst du wohl auf den Solipsismus hinaus, die Idee, daß nur du allein existierst und daß alles andere nur ein farbiger Teil deiner eigenen Persönlichkeit ist?

MAUREEN: Ja. Aber das kann doch wirklich nicht die ganze Wahrheit sein ...

LESLIE: Bist du dir da so sicher?

JACK: Protagoras jedenfalls würde das nicht so sehen! Er würde seine Hand ausstrecken und sagen, daß das da seine Hand ist, daß seine Hand von seinem Gedanken an die Hand zu unterscheiden sei und daß beide wiederum von der vor ihm stehenden Person zu unterscheiden seien. Aber er würde hinzufügen, daß er das alles nur aus seiner eigenen persönlichen Erfahrung wisse und daß er keine andere Quelle dafür habe. Denn selbst wenn er sagt: »Das habe ich in einem Buch gelesen«, muß er sich immer noch auf seinen Eindruck von dem Buch verlassen – und so weiter.

MAUREEN: Aber heißt das denn nicht, daß er nur die Oberfläche der Menschen kennt – nur das, was ihm an ihnen besonders auffällt ...

GAETANO: Laß mich mal den Spieß umdrehen! Kennst du denn jemals mehr als die Oberfläche von Menschen? Eine Frage:

Ist es dir schon mal passiert, daß du einen deiner Freunde gesehen hast, aus der Nähe oder aus der Ferne, ohne zu merken, daß es dein Freund oder deine Freundin war?

MAUREEN: Ja, das ist mir schon passiert, und das hat mich ziemlich durcheinandergebracht. Ich hab' mal einen sehr guten Freund von mir in der Ferne in einer Bibliothek stehen sehen und gedacht: »Eine wenig liebenswürdig aussehende Person!« – und dann habe ich ihn plötzlich erkannt.

GAETANO: Und was geschah dann?

MAUREEN: Nun, er ist ein ganz netter Mensch – und genauso sah er dann auch aus, als ich ihn erkannte.

GAETANO: Und was war mit dem anderen Eindruck?

MAUREEN: Das war einfach ein Versehen.

GAETANO: Du meinst, weil es nur so kurz andauerte.

MAUREEN: Ja.

GAETANO: Und du bist sicher, daß andere Menschen ihn nie so sehen werden?

MAUREEN: Das weiß ich einfach nicht; mich hat die Sache jedenfalls ganz schön umgehauen.

GAETANO: Aber diese Erfahrung, deine sonstige Erfahrung und deine Erinnerungen – ist das nicht alles, was du hast?

MAUREEN: Ja.

GAETANO: Und Erkenntnis gewinnen heißt einfach, eine gewisse Ordnung in diesem Nebeneinander zu schaffen ...

DR. COLE: Wir sollten vielleicht doch besser zu unserem Dialog zurückkehren, denn einige Ihrer Fragen werden darin ja beantwortet. Ich glaube, Platon würde sagen, daß die Menschen nicht immer in der Lage sind, die richtige Art von Ordnung zu schaffen – daß dafür ein Experte erforderlich ist. Das ist jedenfalls sein Hauptpunkt. Nicht jeder kann die Dinge beurteilen – wohl aber die Experten. Nehmen Sie nur dies Beispiel *(liest vor)*: »So ist auch, wenn ein Mahl bereitet wird, das Urteil dessen, der bewirtet wird und der kein Speisekünstler ist, minder gültig als des Kochs Urteil über die daraus zu erwartende Sinnenlust ...«

DAVID: Da kann er aber nicht in vielen Restaurants gewesen sein! Ich habe gestern in einem französischen Restaurant gegessen. Die Restaurantkritiker haben es gelobt, die Köche aus anderen Restaurants haben es gelobt, sogar im *Time Magazine* wurde es empfohlen, und was war? Ich mußte beinahe kotzen!

CHARLES: Richtig! Und sind Experten »an sich« schon besser? Nein. Sie werden besser behandelt und besser bezahlt, weil viele Leute auf das schwören, was sie sagen. Denn viele Leute finden es gut, einen Experten zu haben, der ihnen sagt, was sie tun sollen.

LESLIE: Es sieht ja ganz so aus, als wären die »echten« Kritikpunkte auch nicht viel besser als die vorgeschobenen.

DR. COLE: Moment mal, noch sind wir nicht fertig! Ich stimme Ihnen zu, manche Dinge, die Sokrates von sich gibt, sind nicht allzu überzeugend – aber es gibt doch auch noch andere Argumente! So argumentiert Sokrates etwa, daß das Prinzip des Protagoras sich selbst widerlege.

JACK: Dieser Punkt wird Ihnen aber ganz schön zu schaffen machen! Sokrates nennt dieses Argument zwar »exquisit«, aber ich kann darin nur einen ziemlich albernen Schwindel sehen. Schauen wir uns die Sache doch mal an! In 170 zitiert er Protagoras, weil er ihn mit seinen eigenen Worten widerlegen will. Er zitiert ihn mit dem Ausspruch, daß das, was jemandem erscheine, für ihn auch sei. Wohlgemerkt, er sagt nicht, daß das, was jemandem erscheine, *sei*, sondern daß es *für ihn* sei.

DR. COLE: Ja, das ist es, was Protagoras sagt.

JACK: Nun, wenn ich das Argument richtig verstehe, dann führt er [Sokrates] aus, daß viele Menschen diesen Glauben nicht teilen. Daß sie nicht sagen: »Was mir zu sein scheint, das ist für mich«, sondern daß sie gar nicht auf das achten, was ihnen zu sein scheint, daß sie vielmehr die meiste Zeit überhaupt keine eigene Meinung haben, sondern sich einfach an Experten halten.

DAVID: Nun, ihnen scheint es eben, daß Experten über die Wahrheit verfügen.

JACK: Nein, darauf wollte ich nicht hinaus. Laut Sokrates würden die meisten Leute, wenn man sie mit dem Ausspruch des Protagoras konfrontieren würde, sagen, daß sie gewiß kein Maßstab seien, daß allein die Experten Maßstab seien, und die Experten selbst würden sagen: Ja, wir wissen, worüber wir reden, und keiner sonst. Ist das nicht das, was Sokrates sagt?

DR. COLE: Nicht mit diesen Worten, aber sinngemäß schon.

JACK: Und dann hier, gegen Ende, sagt Sokrates, das bedeute, daß Protagoras selbst nach seinem eigenen Prinzip zugeben müsse, daß sein Prinzip *falsch* sei – man beachte: nicht falsch *für* diese Leute, nicht falsch *für* diese Experten, wie er nach dem Wortlaut des Prinzips eigentlich sagen müßte, sondern einfach *falsch*. Und ich sag's nochmal, das ist kein seriöses Argument, das ist ein Schwindel.

SEIDENBERG: Das kann unmöglich die richtige Interpretation sein! Ich sage ja nicht, daß Platon niemals zu Tricks greifen würde, aber wenn Platon uns auf den Arm nehmen wollte, wie Sie wohl sagen würden, dann würde er das nicht auf so einfältige Weise tun. Schauen Sie mal! Als er das Prinzip des Protagoras zum erstenmal einführt, achtet er sorgsam darauf, das »für ihn« hinzuzufügen, ebenfalls in den anderen Beispielen, die er anführt: Der Wind ist kalt *für den*, dem es kalt ist, nicht aber *für den*, dem es warm ist ... und so weiter. Dasselbe gilt für die Passage, die wir gerade besprechen. Da heißt es am Anfang: Was jemandem erscheint, das ist *für ihn*. Wenn er also das »für ihn« fallenläßt, dann muß er einen Grund dafür haben.

JACK: Den würde ich ja liebend gerne kennenlernen.

SEIDENBERG: Ja, dann will ich's mal versuchen. *(Zu Jack)* Ich bin zwar in der Logik nicht so gebildet wie Sie, und ich bin gegen Fehler nicht gefeit, aber ich will's versuchen. Also. Protagoras sagt: »Was jemandem erscheint, das ist für ihn«, oder, leicht abgewandelt: »Was einem Menschen zu sein scheint, das ist für ihn wahr.« Ebenfalls: »Was einem Menschen nicht zu sein scheint, das ist für diesen Menschen nicht wahr.« Stimmen Sie mir zu?

JACK: Ja, fahren Sie fort.

SEIDENBERG: Und wenn wir diese beiden Dinge zusammenfassen, dann können wir weiterhin sagen, Protagoras verkünde die *Äquivalenz* von »Es scheint x, daß p« und »Für x ist wahr, daß p«. Habe ich soweit recht?

DR. COLE: Ich würde sagen: ja.

SEIDENBERG: Jetzt will ich euch Logiker *(an Jack gerichtet)* mal nachmachen: Diese Äquivalenz nenne ich P. Nun nehmen wir mal an, jemand bestreitet P. Beispielsweise Sokrates.

JACK: Ja, dann scheint es ihm, daß nicht-P, und deshalb ist für ihn nicht-P, gemäß dem Prinzip.

SEIDENBERG: Mag sein. In Übereinstimmung mit dem Prinzip kann er »nicht-P« sagen – doch wenn er es sagt, ganz gleich, gemäß welchem Prinzip, dann bestreitet er das Prinzip. Wohlgemerkt, er bestreitet es nicht universell. Sokrates sagt nicht: »Für mich ist P niemals wahr«, und er sagt auch nicht: »Für alle Propositionen p und alle Menschen x ist folgendes falsch: Wenn es x scheint, daß p, dann ist p für x wahr« – nein, er sagt einfach: »Für mich ist P falsch«. Und das heißt, daß es für ihn *einige* Sätze gibt, bei denen der *Anschein* für eine Person, daß sie wahr sind, sie für diese Person nicht *wahr* macht. Sokrates würde P zum Beispiel für Aussagen über Sinneseindrücke nicht bestreiten – in diesem Bereich gilt wirklich, daß, was wahr erscheint, auch wahr ist, und das sagt Sokrates auch selbst.

JACK: Ja und?

SEIDENBERG: Also, laut Protagoras existiert, was einer Person erscheint, für diese Person. Demnach differieren Protagoras zufolge manche Erscheinungen (für Sokrates) und die entsprechenden Wahrheiten (für Sokrates). Folglich ist laut Protagoras P nicht wahr – und zwar für ihn, für Protagoras selbst. Der einzige Ausweg aus dieser Schwierigkeit wäre die prinzipielle Leugnung, daß je zwei Menschen Meinungen über dieselbe Aussage haben können; aber in diesem Fall ergäbe sein Prinzip, das ja für alle Propositionen aller Personen gültig sein sollte und nicht nur für Propositionen des Protagoras, keinen Sinn mehr. Nun stimmt es zwar, daß Platon diesen Sachverhalt ausdrückt, indem er sagt: Das Prinzip ist falsch – basta; aber er kann das tun, denn wenn »wahr für« erst einmal von »erscheint ihm« getrennt ist, gibt es eigentlich keinen Grund mehr, das »für« noch beizubehalten. Es wurde ja nur in Analogie zum Anschein eingeführt. Deshalb ist dieses Argument für mich wirklich entscheidend.

BRUCE: Nun, da bin ich nicht ganz so überzeugt. Ich behaupte nicht, daß Ihre Interpretation des Arguments nicht korrekt ist, aber beide, Platon und Sie, haben etwas ganz Wichtiges vorausgesetzt. Sie haben nämlich angenommen, daß ein Prinzip oder eine Prozedur, auf sich selbst angewandt, aufgegeben werden muß, wenn dies zu Absurditäten oder Widersprüchen führt. Doch diese Annahme ist höchst fragwürdig. Zunächst einmal könnte es ja durchaus sein, daß Protagoras sein Prinzip gar nicht auf diese Weise anwenden wollte.

DR. COLE: Da bin ich aber nicht so sicher. Protagoras war Sophist, und gerade die Sophisten beherrschten das Handwerk der Konstruktion trickreicher Argumente meisterhaft.

CHARLES: Dann sollten wir jetzt zwischen dem Prinzip des Protagoras und seiner Interpretation dieses Prinzips trennen. Was können wir mit dem Prinzip anfangen? Müssen wir die Widerlegung, die wir gerade gehört haben, akzeptieren?

BRUCE: Nein, denn wir müssen ja auch die Regel nicht akzeptieren, daß ein Prinzip, dessen Anwendung auf sich selbst zu Schwierigkeiten führt, aufzugeben sei. Sieh dir den Satz im folgenden Zwischenraum an:

Der eine Satz, der hier steht, ist falsch.

Wenn ich diesen Satz lese, kann ich daraus schließen, daß er wahr ist, und wenn er wahr ist, dann ist er auch falsch, und wenn er falsch ist, dann ist er auch wahr – und so weiter. Das ist doch nur eine Neuauflage des alten Lügenparadoxes [»Ein Kreter sagt: ›Alle Kreter lügen.‹« – Anm. d. Übers.]. Manche Leute haben daraus den Schluß gezogen, daß Selbstreferenz vermieden werden muß: Ein Satz darf *nie-*

mals eine Aussage über sich selbst machen. Zum Beispiel darf ich nie einen Satz sagen wie »Ich spreche jetzt sehr leise«. Warum? Weil man von der Annahme ausgeht, daß alle möglichen Sätze einer Sprache bereits ausgesprochen wurden und jetzt als ein abstraktes System existieren. Wenn man in ein solches System Selbstreferenzen einführt, dann gibt es natürlich Schwierigkeiten. Doch die Sprachen, die wir sprechen, sind keine solchen Systeme. Deren Sätze existieren nicht bereits, sondern werden erst, wenn wir sprechen, Satz für Satz produziert, und entsprechend nehmen auch die Regeln für das Sprechen Gestalt an. Nehmen wir mal an, ich sage: »Rosafarbige Melancholie kletterte über die Hügel.« Ist das ein sinnvoller Satz? Nicht in einem tyrannischen System, in dem Farbwörter nur auf materielle Objekte bezogen werden dürfen. Trotzdem könnte ich so eine neue poetische Mode einführen; ich könnte diese Aussage auch machen, um meinem Psychiater über die Stimmung eines Traumes zu berichten – und der wird höchstwahrscheinlich verstehen, was ich meine; oder ich könnte ihn auch einer Gesangsstudentin vorsagen, um ihr bei der Stimmbildung zu helfen – und glaubt mir, Gesangslehrer arbeiten mit Sätzen wie diesem, und mit großem Erfolg! In all diesen Fällen befolgen wir nicht nur Regeln, sondern konstituieren und modifizieren sie auch durch die Art und Weise, wie wir vorgehen.

GAETANO: Das ist sehr interessant. Ich studiere nämlich gerade Harmonielehre und Komposition. Ja, und da gibt es Lehrer, die legen Regeln fest, geben ein paar abstrakte Gründe dafür und bestehen darauf, daß jeder die Regeln befolgt. In der Musikgeschichte finden sie dann eine Menge Ausnahmen. Die Komponisten verstoßen nämlich ständig gegen die Regeln. Und was machen diese Lehrer? Entweder kritisieren sie die Komponisten, oder sie machen die Regeln immer komplizierter. Walter Piston aber geht in seiner Harmonielehre einen anderen Weg. Niemals werde ich einen der Sätze vergessen, in denen er seine Einstellung formuliert. »Musik«, sagt er, »entsteht durch Komposition, nicht durch Anwendung von Regeln.« Und jetzt sagst du, daß Sprache durch das Sprechen entsteht, nicht durch eine Anwendung von Regeln. Deshalb kann man eine Sprache auch nicht danach beurteilen, was passiert, wenn man einen Teil davon isoliert und durch den Computer jagt.

ARTHUR: Und ich würde hinzufügen, daß Wissenschaft das Ergebnis von Forschungsaktivitäten ist, nicht von Regelanwendung, und deshalb kann man die Wissenschaft nicht nach abstrakten erkenntnistheoretischen Regeln beurteilen, es sei denn, diese Regeln sind das Resultat einer speziellen, sich ständig verändernden erkenntnistheoretischen *Praxis.*

JACK: Aber was wird dann aus Beweisen wie Gödels Unvollständigkeitssatz? Oder dem wesentlich simpleren Beweis der Konsistenz des Propositionskalküls?

GAETANO: Darüber habe ich schon nachgedacht. Aber dieser Beweis hat nichts mit gesprochenen Sprachen zu tun, etwa mit Sprachen, die Zahlwörter benutzen, sondern mit formalen Rekonstruktionen von ihnen, und er zeigt, daß solche Rekonstruktionen definitiv begrenzt sind. Wenn du dich entschließt, dich immer an bestimmte Regeln zu halten, komme was wolle, dann kannst du überhaupt nicht vermeiden, daß du auf alle möglichen Hindernisse stößt.

BRUCE: Das illustriert bestens, was ich gerade sagen wollte! Wenn man an das Prinzip des Protagoras mit der Einstellung eines Komponisten oder eines Sprechers einer Sprache herangeht, dann betrachtet man es als eine Art Faustregel, deren Bedeutung sich erst bei der Anwendung erschließt und nicht schon im voraus festliegt. Sokrates' Argumente widerlegen deshalb auch nicht den Relativismus. Sie widerlegen eine Platonische Version des Relativismus, in der Aussagen nicht an sprachliche Äußerungen gebunden sind, sondern unabhängig von der Sprache existieren, so daß eine neue Aussage die vorangehende Darstellung in eine Farce verwandeln kann.

JACK: Ja, wenn du dich entscheidest, deine Aussagen im Verlauf der Debatte immer wieder aufzupolieren, dann kann dich natürlich niemand widerlegen.

ARTHUR: Absolut nicht! Zum Beispiel hat sich der Aussagenkomplex namens »Newtons Theorie« unter den Händen von Euler, den Bernoullis, Lagrange und Hamilton ständig verändert; in gewisser Weise war es dieselbe Theorie, in anderer Hinsicht nicht, und doch haben die Wissenschaftler letztlich klar definierte Schwierigkeiten für dieses nicht sehr stabile Gedankengebäude ausgemacht. Wenn du Bruces praktische Einstellung übernimmst, dann müssen deine Vorstellungen vom Verhältnis zwischen einer Theorie und ihren Schwierigkeiten natürlich modifiziert werden. Dann kannst du unter einer Theorie nicht länger ein wohldefiniertes Ganzes verstehen, bei dem man genau vorhersagen kann, welche Schwierigkeiten zu seiner Annullierung führen werden; dann mußt du darunter vielmehr ein vages Versprechen verstehen, dessen Bedeutung sich durch Schwierigkeiten, die zu akzeptieren man bereit ist, ständig wandelt und verfeinert. Darüber haben wir schon früher gesprochen, als wir den Satz »Alle Raben sind schwarz«

diskutiert haben und Sokrates' Zurückweisung seiner eigenen ersten Serie von Kritikpunkten. In gewisser Weise sind die Logiker, und die Philosophen in ihrem Gefolge, nämlich sehr oberflächlich. Sie sehen eine Aussage, etwa die Aussage des Protagoras. Sie interpretieren die Aussage eher engstirnig und weisen sie dann triumphierend zurück! Dieses Verfahren hätte jedoch die Wissenschaft schon vor langer Zeit zum Sterben verurteilt. Jede wissenschaftliche Theorie, die man allzu wörtlich nimmt, steht in Konflikt mit zahlreichen Fakten! Platon war sich dieser Lage bewußt, er kritisierte die Praxis der leichten Widerlegung, doch dann verliebte er sich selbst in sie und benutzte sie auch.

CHARLES: Und das bedeutet, daß wir den Relativismus von dem trennen müssen, was Sokrates daraus gemacht hat, um ihn leicht widerlegen zu können ...

LESLIE: Und von dem, was Protagoras vielleicht daraus gemacht hat, wenn wir davon ausgehen, daß er die Aussage nach Art eines Logikers behandelte.

BRUCE: Richtig. Wenn wir also jetzt den Relativismus diskutieren, dann sollten wir meiner Meinung nach lieber pragmatisch vorgehen und mit ein paar praktischen Dingen beginnen. Was sind unsere Intentionen? Ich würde sagen, die Intentionen eines Relativisten sind es, Individuen, Gruppen und Kulturen vor den Aktionen jener zu beschützen, die meinen, allein im Besitz der Wahrheit zu sein. Und an dieser Stelle möchte ich gern zwei Dinge hervorheben. Erstens die Toleranz. Nicht jene Art Toleranz, die sagt: »Na, diese Dummköpfe wissen doch rein gar nichts – aber sie haben das Recht, nach ihrer Fasson selig zu werden – also wollen wir sie gewähren lassen.« Das wäre eine recht verächtliche Art von Toleranz, muß ich sagen. Nein, die Toleranz des Relativisten geht davon aus, daß die Tolerierten eigene Leistungen vorzuweisen haben und daß sie aufgrund dieser Leistungen überlebt haben. Dabei ist es gar nicht einfach zu erklären, worin diese Leistungen bestehen. Da können wir bestimmt nicht von »Gedankensystemen« oder »Lebenssystemen« sprechen – die Absurdität solcher Annahmen ist in unserer Debatte ja wohl sehr deutlich geworden. Aber wir können ein bestimmtes Stadium einer Kultur annähernd isoliert betrachten und dieses mit einem bestimmten Stadium einer anderen Kultur vergleichen und zu dem Schluß kommen, daß in beiden ein mehr oder weniger angenehmes Leben möglich ist. Natürlich kann sich ein Mitglied der Kultur P in Kultur Q sehr unwohl fühlen, aber darum geht es hier gar nicht. Vielmehr geht es darum, daß die Menschen, die in Q aufgewachsen sind und jetzt P kennenlernen, Vor- und Nachteile finden können und letztlich sogar P ihrer eigenen Lebensweise vorziehen können – und sie haben vielleicht hervorragende Gründe für ihre Wahl. Unter solchen Umständen ist eine Aussage wie »Aber er hat die Falschheit gewählt anstelle der Wahrheit« nur noch leeres Geschwätz.

ARNOLD: Da kann ich aber überhaupt nicht zustimmen! Jede Aussage ist entweder wahr oder falsch, ganz egal, was die Leute darüber denken. Klar, die Bösen können glücklich sein und die Gerechten elend – aber das macht die Bösen doch noch nicht gerecht.

CHARLES: Du hättest recht, wenn die Welt in allen ihren Teilen identisch wäre und sich nicht entsprechend verändern würde, je nachdem, wie sich die Leute verhalten. Dann könntest du wirklich sagen: Ja, ich habe hier eine Aussage, als eine stabile Einheit, und da eine Welt, als eine andere stabile

Einheit, und es gibt eine bestimmte objektive Relation zwischen den beiden; das eine »paßt« oder »paßt nicht« zum anderen, obwohl ich vielleicht niemals weiß, was wirklich Sache ist. Aber nimm nur mal an, daß die Welt oder, allgemeiner ausgedrückt, das Sein auf die Art und Weise reagiert, wie du dich verhältst oder wie eine ganze Tradition sich verhält, daß es auf unterschiedliche Anschauungsweisen unterschiedlich reagiert und daß keine Möglichkeit besteht, die Reaktionen mit einer universalen Substanz oder mit universalen Gesetzen zu verbinden. Nimm ferner an, daß das Sein auf mehr als eine Anschauungsweise positiv, das heißt lebenserhaltend und wahrheitsbestätigend, reagiert – dann ist doch alles, was wir sagen können, dies: Das Sein gibt uns, *wenn wir wissenschaftlich vorgehen*, nacheinander eine geschlossene Welt, ein ewiges und unendliches Universum, einen Urknall, eine große Wand von Galaxien – und im kleinen den unwandelbaren Seinsblock des Parmenides, die Atome des Demokrit und so weiter, bis wir bei den Quarks und den anderen Teilchen gelandet sind. *Wenn wir aber »spirituell« vorgehen*, dann gibt es uns Götter, nicht nur Vorstellungen von Göttern, sondern richtige, sichtbare Götter, deren Handlungen im einzelnen verfolgt werden können. Und unter all diesen Umständen läßt sich das Leben erhalten. Nun, in einer solchen Welt *kann man nicht* sagen, daß die Götter Illusionen sind – sie sind wirklich da, wenn auch nicht absolut, sondern im Kontext bestimmter Handlungen; und da *kann man nicht* sagen, daß alles den Gesetzen der Quantenmechanik gehorcht und immer gehorcht hat, denn auch diese Gesetze erscheinen erst, nachdem man eine komplexe historische Entwicklung durchlaufen hat. Was man hingegen sagen *kann*, ist, daß verschiedene Kulturen und verschiedene historische Trends (in dem zuvor eingeführten annähernden und restriktiven Sinn) eine Fundierung in der Realität aufweisen und daß in diesem Sinne Erkenntnis »relativ« ist.

LI FENG: Willst du damit sagen, daß der Mensch und ganze Kulturen Maßstäbe sind, daß aber das Sein ebenfalls ein Maßstab ist und daß jede beliebige Welt, in der wir leben, ein Ergebnis der Interaktion dieser beiden Maßstäbe ist?

CHARLES: Ja, das ist eine hervorragende Formulierung. Viele Leute machen nämlich den Fehler anzunehmen, daß die im Zusammenspiel mit ihren Handlungen oder ihrer Geschichte entstandene Welt auch allen anderen Kulturen zugrunde liegen müsse und daß die anderen nur zu dumm seien, das zu merken. Es gibt aber keine Möglichkeit, den Mechanismus zu entdecken, nach dem die verschiedenen Welten aus dem Sein hervorgehen.

LI FENG: Mit dieser letzten Annahme bin ich nicht ganz glücklich – warum sollte es denn nicht eines schönen Tages möglich sein, einen solchen Mechanismus zu entdecken?

CHARLES: Weil Entdeckungen historische Ereignisse sind – und die lassen sich nicht vorhersehen. Würden wir den Interaktionsmechanismus kennen, könnten wir auch in der Lage sein, sie vorherzusehen – und deshalb werden keine solchen Mechanismen je bekannt werden. Anders ausgedrückt, könnten wir sagen, daß die Aktionen der Natur nicht von einer Kreatur vorherzusehen sind, deren Leben sich in der Zeit erstreckt. Ein solches Geschöpf kann vorhersehen, was *innerhalb* einer speziellen Welt geschieht, aber es kann nicht den Wandel von einer Welt zu einer anderen vorhersehen.

JACK: Ich möchte nochmal auf Li Fengs ungutes Gefühl zurückkommen – warum es denn nicht möglich sein soll, die Gesetze des Seins selbst zu entdecken. Es ist gar nicht so schwer, Modelle für Situationen zu entwickeln, in denen sich die Grenzen der Erkenntnis zeigen, selbst wenn man die Gesetze unseres eigenen begrenzten Universums zugrunde legt. Nehmen wir zum Beispiel den reinen Quantenzustand des Tisches, der vor mir steht. Um den herauszufinden, bräuchte ich ein Meßinstrument, das größer ist als das gesamte Universum; und selbst wenn ich ein solches Instrument hätte, würde es den Tisch in Stücke zerreißen, anstatt ihn zu messen. Oder: Wenn wir unser Gehirn als Computer interpretieren, dann können wir einige Annahmen über seine Kapazität machen, doch selbst dann würden bestimmte Dinge unser Fassungsvermögen übersteigen – die alle im Einklang mit Fakten und Gesetzen stehen, die wir kennen und akzeptieren. Warum also sollte das Sein nicht auf menschliche Aktionen mit Welten reagieren, die wenigstens zum Teil für Menschen verständlich sind, während es selbst aber undurchdringlich bleibt?

ARNOLD: Du redest ja fast, als wäre das Sein eine Person.

CHARLES: Das könnte doch durchaus sein – ich wäre in der Tat durchaus nicht abgeneigt, es mir als eine Art *deus-sive-natura* [gottgleiche Natur] vorzustellen, nur ohne das ganze Brimborium Spinozas.

JACK: Dann läuft der Relativismus also jetzt darauf hinaus, daß es nicht eine stabile Natur gibt, sondern eine unbestimmte Realität, die der Erkenntnis prinzipiell verschlossen bleibt, die bestimmte Formen der Annäherung auch zurückweisen kann – manche Handlungen bleiben eben ohne Echo –, in der es aber viel mehr Spielraum gibt, als Realisten wie Platon oder Einstein annehmen?

CHARLES: Ja. Es gibt verschiedene Kulturen, und die bestehen nicht alle aus Verrückten, auch funktionieren sie nicht auf der Grundlage einer Extremversion des Protagoreischen Prinzips, sondern weil das Sein verschiedene Formen der Annäherung zuläßt und einen praktischen Relativismus ermutigt – innerhalb bestimmter Grenzen: Der Mensch oder bestimmte, vorübergehend stabile Aspekte von Kulturen sind Maßstab der Dinge nur *in dem Maße, wie das Sein ihnen gestattet, Maßstab zu sein.* Darüber hinaus räumt das Sein Individuen oder Kulturen jenes Maß an Unabhängigkeit ein, das erforderlich ist, um in diesem eingeschränkten Sinn Maßstab sein zu können. Ein einziges Individuum kann auf seinem einsamen Pfad einen »Nerv des Seins berühren« und damit einen Anstoß für eine völlig neue Welt geben. Die Diskussion des Relativismus und der Toleranz läßt sich einfach nicht von der Kosmologie oder sogar von der Theologie trennen – eine rein logische Diskussion ist hier nicht nur naiv, sondern sogar sinnlos.

DR. COLE: Platon scheint diese Ansicht übrigens geteilt zu haben, denn später, im *Timaios*, baut er eine ganze Kosmologie auf – als Hintergrund für seine Erklärung der Erkenntnis ...

EIN GELEHRT AUSSEHENDES INDIVIDUUM *(erscheint in der Tür)*: Entschuldigen Sie bitte, aber ich muß hier jetzt mit meinem Unterricht beginnen ...

DR. COLE *(blickt auf seine Uhr)*: Was? Jetzt schon? Aber wir sind doch noch nicht mal zur Hälfte mit dem Dialog durch.

DONALD *(mit klagender Stimme)*: Und was ist dabei nun herausgekommen?

CHARLES: Du meinst, du hast überhaupt nichts gelernt?

DONALD: Nein – ich habe versucht, mir Notizen zu machen,

aber ihr seid ja nur noch von einem Thema zum nächsten gesprungen, es war das reinste Chaos ...

CHARLES: Willst du damit sagen, daß ein Ergebnis etwas ist, was du aufschreiben kannst?

DONALD: Ja, was denn sonst?

SEIDENBERG *(versucht zu vermitteln)*: Aber denken Sie doch mal daran, was wir gesagt haben, als wir über Platons Stil gesprochen haben und warum er etwas gegen den gelehrten Aufsatz hatte ...

DONALD: Sie meinen, alles sollte in der Schwebe bleiben?

CHARLES: Nicht unbedingt in der Schwebe, aber auch nicht auf dem Papier – im Kopf, als Erinnerung und Einstellung.

DONALD: Das ist aber nicht das, was ich unter Philosophie verstehe ...

DAS GELEHRT AUSSEHENDE INDIVIDUUM: Ach, Sie sind Philosophen? Kein Wunder, daß Sie nicht pünktlich fertig sein können ...

GRAZIA *(erscheint in der Tür – eine attraktive junge Dame mit lockigem Haar und starkem italienischem Akzent)*: Ist dies der Kurs über Erkenntnistheorie?

DR. COLE *(sieht interessiert aus)*: Er war's; tut mir leid, die Sitzung ist vorüber.

GRAZIA *(enttäuscht)*: Daß ich aber auch immer zu spät kommen muß!

DR. COLE *(leise)*: Sie haben aber wirklich nicht sehr viel verpaßt.

GRAZIA: Sind Sie nicht der Dozent?

DR. COLE *(peinlich berührt)*: Ja, aber ich will kein Tyrann sein ...

GRAZIA: Sie lassen die Leute also reden? Gab's eine Diskussion? Ich hätte vielleicht etwas sagen können?

DR. COLE: Wenn Sie die anderen hätten bremsen können.

GRAZIA *(mit überlegenem Gesichtsausdruck)*: Naaaa, das wäre sicher kein Problem gewesen. Es tut mir wirklich schrecklich leid, daß ich diese Seminarsitzung versäumt habe ...

(Grazia verschwindet mit Dr. Cole, lebhaft ins Gespräch vertieft. Alle sind gegangen, nur Donald ist noch da.)

DONALD *(murmelt vor sich hin)*: Das war aber wirklich mein letzter Philosophiekurs. So komme ich ja nie zu einem Examen ...

Ein letzter unphilosophischer Waldspaziergang

B *(mit schnellem Schritt auf einem engen Waldpfad, zu sich selbst)*: Aah, endlich keine Vorlesungen mehr, Sonne und ein bißchen frische Luft. Was für ein herrlicher Tag!

FLIEGE: Sssssss.

B: Ja, da hast du vollkommen recht.

EIN SCHAF *(zur Linken)*: Määäh!

B: Guten Morgen. Kannst du dir vorstellen, daß ich 35 lange Jahre mein Geld mit nichts anderem verdient habe als mit genau dem, was du jetzt tust, nur vor großem Publikum?

DAS SCHAF *(sieht verdutzt aus)*.

B: Ja, da weißt du nicht, was du sagen sollst, nicht wahr? *(Setzt sich hin; lange Stille ... die plötzlich von einem Laut unterbrochen wird, der klingt wie:* OOEIAA ... *)*

B: Was ist das?

FLIEGE: Sss ssss sss.

B: Na, du hast es auch gehört?

A *(ganz aus der Puste, nähert sich langsam, mit einem großen Bündel Papiere und Bücher unter dem Arm)*: Herr Pro... Herr Pro...

B: Nun mal ganz ruhig. Kommen Sie, setzen Sie sich.

A: Bessnank.

B: Wie bitte?

A: Besten Dank.

B: Nun, was machen Sie denn hier draußen? Und noch dazu mit diesem Berg von totem Holz?

A: Sind Sie Professor Feyerabend?

B: Nun ja, ich heiße Feyerabend.

A: Aber sind Sie Professor Feyerabend?

B: Nicht so laut! Es brauchen doch nicht gleich alle zu wissen, womit ich früher mein Geld verdient habe.

A: Wovor haben Sie denn Angst?

B: Na, es gibt eine Menge Leute, die einen nicht wie einen normalen Menschen behandeln, wenn sie wissen, daß man Professor ist – wenigstens hier in Europa. Besonders die »Gebildeten« würden mich sofort in eine Schublade einordnen: Aha, ein Professor, ein Philosophieprofessor, dann weiß der dieses und tut jenes und geht auf die und die Art an schwierige Themen heran. Und wenn diese Leute mir dann auf die Nerven gehen und ich versuche, sie loszuwerden, dann schauen sie sich an und denken: »Da sieht man's wieder – typisch Professor, unhöflich und eingebildet.«

A: Sind Sie da nicht ein wenig paranoid?

B: Vielleicht. Aber ich sage Ihnen, als Student war ich viel besser dran, als mich noch niemand gekannt hat und als ich noch singen, Stücke aufführen, in Diskussionen unverschämte Bemerkungen machen durfte, ohne daß man mich gleich nach meiner Stellung, meinem Rang, Stil oder Standpunkt klassifiziert hat.

A: Ich weiß nicht, worüber Sie sich beklagen. Sie sind ein Philosoph, und es ist doch ganz normal, daß die Leute einen Philosophen anders einstufen als, sagen wir, einen Hundefänger.

B: Aber genau das ist es ja. Ich bin kein Philosoph, und ich habe überhaupt nicht den Wunsch, mit einer solchen Kategorie belastet zu werden.

A: Sie und kein Philosoph? Daß ich nicht lache! Schauen Sie her *(öffnet sein Bündel)*, schauen Sie sich diese Papiere an! Genau deshalb bin ich doch hier!

B *(springt erschrocken auf)*: *Weshalb* sind Sie hier?

A: Ja, ich soll Ihnen die Beiträge zu Ihrer Festschrift übergeben und mit Ihnen über Ihre Philosophie sprechen.

B: Um Gottes willen! Da steckt bestimmt Gonzalo Munévar dahinter.

A: Sie können sich ja überhaupt nicht vorstellen, wieviel Mühe er sich gemacht macht, um eine Festschrift zusammenzubekommen, und wieviele Leute da etwas über Sie geschrieben haben!

B *(seufzt)*.

A: Daran sind Sie doch selber schuld! *(Nimmt ein Buch aus seinem Bündel.)* Da, schauen Sie her: *Wider den Methodenzwang. Skizze einer anarchistischen Erkenntnistheorie* – das Buch hat Sie berühmt gemacht.

B: Aber sehen Sie doch noch etwas genauer hin!

A: Wohin?

B: Hierhin, auf das Titelblatt!

A: Was meinen Sie?

B: Hier, nach »anarchistisch«!

A: Eine Fußnote!

B: Ja, genau, eine Fußnote. Und was steht da?

A: Ja, das ist wirklich seltsam. Eine Fußnote – im Titel – und direkt nach dem Wort »anarchistisch«. *(Zeigt auf sein Bündel)* – Professor Naess hat, glaube ich, darüber eine Bemerkung gemacht.

B: Und dann der Titel selbst – »anarchistische Erkenntnistheorie« – macht Sie das nicht nachdenklich?

A: Wie meinen Sie das?

B : Woran erinnert Sie das Wort »Anarchismus«?
A: An eine Art Unordnung ...
B : ... ja, genau. Und »Theorie«?
A: Ach so, darauf wollen Sie hinaus ...
B : Jetzt blättern Sie mal ein paar Seiten weiter. Hier, Seite sieben, Zeile acht und neun – was steht da?
A: Da steht: »Dies ist ein langer und recht persönlicher Brief ...« – »Brief« kursiv gedruckt. [Dieser Wortlaut findet sich nur im Vorwort der amerikanischen Ausgabe, die deutsche Ausgabe hat ein eigenes Vorwort; Anm. d. Übers.]
B : Ein Brief, also eine persönliche Mitteilung; kein Traktat, kein Lehrbuch. Ein Brief – und alles gar nicht so ernst gemeint.
A: Wie, das ganze Buch ist nur ein Witz?
B : Nein, nein, ich meine es schon ernst – aber nicht *übertrieben* ernst – mit vielen Sachen, die darinstehen. Doch daß ich sie in Form einer philosophischen »Position« zusammengefaßt habe – das war der Witz. Und viele Rezensenten sind darauf reingefallen – obwohl ich ja doch eigentlich genügend warnende Hinweise gegeben habe ...
A: Moment mal! Sie sagen, daß Sie durchaus einige ernsthafte Aussagen machen.
B : Ja.
A: Aber Sie haben keine philosophische Position.
B : Genau. So etwas wie eine philosophische Position hatte ich vielleicht als Student und am Anfang meiner Karriere. Damals war ich der Ansicht, es gebe außer wissenschaftlicher Erkenntnis keine andere, und der ganze Rest sei Quatsch. Das kann man doch als »Position« bezeichnen, oder?
A: Und dann wurden Sie Anarchist?
B : Nein. Dann habe ich Wittgenstein gelesen.

A: Wittgenstein?

B: Ja, ich habe seine *Bemerkungen über die Grundlagen der Mathematik* und seine *Philosophischen Untersuchungen* als Manuskript gelesen, in verschiedenen Versionen, Jahre, bevor sie im Druck erschienen, und ich habe den Inhalt mit Elizabeth Anscombe diskutiert, die damals in Wien war, um für ihre Übersetzung von Wittgensteins Werken [ins Englische] Deutsch zu lernen. Übrigens habe ich Wittgensteins Schriften viel gründlicher studiert als irgend etwas aus dem Popperschen Repertoire, obwohl mich immer noch manche Leute für einen abtrünnigen Popperianer halten.

A: Und das sind Sie nicht?

B: Nein.

A: Aber wie erklären Sie sich dann diese ziemlich weit verbreitete Meinung? Hooker, dessen Artikel ich hier bei mir habe ...

B: Was, Hooker hat einen Beitrag geschrieben?

A: Ja, einen langen, detaillierten Aufsatz!

B: Da freue ich mich aber schon auf die Lektüre! Ich bin Hooker vor vielen Jahren begegnet, und wir haben uns gut verstanden. Was schreibt er denn?

A: Daß Sie Popperianer waren und daß bei Ihnen immer noch ein »Popperscher Rumpf« geblieben sei.

B: Ein »Popperscher Rumpf«?

A: Ja, ein »Popperscher Rumpf«. Wie können Sie sich das erklären?

B: Sagt er denn auch, woraus dieser »Poppersche Rumpf« besteht?

A: Sie benutzen eine negative Verfahrensweise, Sie kritisieren, Sie lehnen ab!

B : Nun, ich will mich nicht gleich auf Hooker stürzen, ohne ihn gelesen zu haben, aber sagt er wirklich allen Ernstes, Popper habe die Kritik erfunden?

A: Popper führte die Falsifikation durch Negativbeispiele ein ...

B : ... Das ist doch wohl nicht Ihr Ernst! Die Falsifikation durch Gegenbeispiele ist so alt wie diese Berge da. Die Sophisten haben sie nach Herzenslust praktiziert; sie war die Hauptwaffe der Skeptiker von der Antike über Montaigne bis hin zu Mates, und Platon hat sie als einfältige *antilogike* und als Haarspalterei lächerlich gemacht: Die beste Kritik eines »naiven Falsifikationismus«, wie Kuhn und Lakatos Poppers Verfahren genannt haben, findet sich schon in der *Politeia* und im *Theaitetos*! Also wirklich, Popper zum Erfinder der Falsifikation zu machen! Da könnten Sie genausogut Ronald Reagan als Erfinder der Rhetorik bezeichnen! Und außerdem ...

A: ... Halt, halt; einen Augenblick mal! Sie haben mich ja gar nicht ausreden lassen! Popper hat die Falsifikation durch Negativbeispiele eingeführt, *um das Humesche Problem zu lösen.*

B : Das Humesche Problem?

A: Ja, Sie wissen schon – das Problem, wie Erkenntnis auf rationalem Wege zu erlangen und zu verbessern sei.

B : Wollen Sie damit sagen, daß die Wissenschaft vor Popper irrational war?

A: Nein, nein – aber vor Popper hatten die Leute irrige Ansichten über das Wesen der Wissenschaft.

B : Auch die Wissenschaftler selbst?

A: Auch die Wissenschaftler selbst.

B : Bohr? Und Newton?

A: Ja, ganz besonders Bohr und Newton.

B: Das finde ich aber höchst überraschend: Wissenschaftler mit irrigen Ansichten über das Wesen der Wissenschaft! Und doch machen sie Entdeckungen, leiten sie Revolutionen ein, erweitern sie laufend unseren Horizont. Und Popper selbst macht die Wissenschaft zu einem Paradigma der Erkenntnis. Aber Popper hat andererseits recht. Und doch besteht alles, was wir bei ihm finden, aus ein paar albernen, total uninformierten Vorschlägen zur Interpretation der Quantenmechanik – wohlgemerkt, zur Interpretation, nicht zur Theorie selbst; die wurde ja nur von ein paar Wirrköpfen wie Bohr, Heisenberg, Born, Schrödinger erfunden. Was ich aus diesem Paradox ableite, ist, daß wir unterscheiden müssen zwischen der Praxis der Wissenschaft – die kompliziert und nicht völlig transparent ist, aber anscheinend Ergebnisse hervorbringt – und philosophischen Ideen, die nicht nur ohne Einfluß auf die Praxis bleiben, sondern uns überdies auch noch eine lächerliche Karikatur von Wissenschaft bieten. Eine gute Philosophie im abstrakten Sinne, in dem Sie und Popper diesen Gegenstand verstehen, hindert keinen daran, sich in wissenschaftlichen Dingen zu blamieren. Doch eine schlechte Philosophie kann einen guten Wissenschaftler zum Glück auch nicht ruinieren.

A: Aber dann verschwendet er seine Zeit ...

B: ... und er verschwendet keine Zeit, wenn er sich an Popper hält?

A: Nicht im gleichen Ausmaß.

B: Das bleibt abzuwarten. Negativbeispiele machen einer Theorie den Garaus, sagen Sie?

A: *Erhärtete* Negativbeispiele.

B : Und Negativbeispiele sind erhärtet, wenn sie trotz intensiver Überprüfung Bestand haben?

A: Ja.

B : Wo alle Tests dasselbe Ergebnis haben?

A: Wenn man von Irrtümern einmal absieht, ja.

B : Und Sie glauben, daß eine interessante Theorie, die komplexe Experimente hervorbringt, sich so klar und eindeutig erhärten läßt? Ohne Abweichungen, unerklärliche Resultate anderswo und unverständliche Schwierigkeiten?

A: Worauf wollen Sie hinaus?

B : Ich will darauf hinaus, daß jede interessante Theorie von einem ganzen Meer von Abweichungen umgeben ist, deren Elemente weitere Abweichungen hervorbringen, wenn wir sie zu erhärten suchen. Bei jeder Theorie kann man auf zahlreiche experimentelle Ergebnisse verweisen, die mit ihr im Konflikt liegen; und bei jedem teilweise erhärteten experimentellen Ergebnis kann man auf Experimente verweisen, die ebendieses Resultat ausschließen – und so weiter. Die Empfehlung, erhärtete Negativbeispiele sollten einer Theorie den Garaus machen, ist deshalb nutzlos; es gibt keine »sauberen« Erhärtungen. Außerdem ist die Empfehlung irreführend, denn sie suggeriert, daß die Wissenschaft einfacher sei, als sie tatsächlich ist. Wäre ein Popperianer wirklich mit der Wissenschaft konfrontiert, dann würde er durch die Komplexitäten, mit denen er es da zu tun hat, glatt umgehauen – er wäre vollkommen paralysiert!

A: Sie bringen da zwei völlig verschiedene Probleme durcheinander – das *logische* Problem des Verhältnisses zwischen Theorie und Evidenz und das *praktische* Problem, was denn als Evidenz zu gelten habe. Eine saubere Widerlegung, d.h. ein Konflikt zwischen einer vollkommen erhärteten Einzelaussage und der Theorie, für die sie ein Beispiel ist, eliminiert die Theorie, während eine saubere Bestätigung deren Status unverändert läßt ...

B : Alles leere Worte! *In dieser Welt* gibt es keine klaren Widerlegungen, und das bedeutet, daß *in dieser Welt* eine Lösung des Humeschen Problems für die wissenschaftliche Praxis uninteressant ist. Das gleiche gilt übrigens auch für andere philosophische Doktrinen. Die Philosophen befassen sich mit einem Wolkenkuckucksheim, das so gut wie keinen Berührungspunkt zum tatsächlichen Leben von Wissenschaftlern, Politikern und Leuten wie Ihnen und mir aufweist.

A : Die Logik gilt für alle.

B : Logik? Erstens gibt es nicht nur *eine* »Logik«; es gibt verschiedene logische Systeme, von denen einige realistischer sind als andere. Zweitens gilt Logik für ein Argument nur, solange die Elemente des Arguments – die Begriffe, die Ideen – stabil bleiben. Doch Argumente, die zu neuen Einsichten führen, erfüllen diese Voraussetzung nur selten. Drittens ist die Unterscheidung zwischen logischen Wahrheiten und empirischen Wahrheiten eine Unterscheidung ohne einen Unterschied. Beide können revidiert werden – beide können sterben –, das einzige, was anders ist, sind die jeweiligen Leichenreden. Für Quine-Leser ist das ganze doch ein alter Hut. Und außerdem, welchen Trost zieht ein Sterbender denn aus dem Hinweis, sein Tod sei logisch nicht erforderlich? Wieder nur leeres Geschwätz!

A : Wollen Sie damit sagen, daß das Humesche Problem nur ein Pseudoproblem ist?

B : Genau das! Nehmen Sie doch das Beispiel, wo sich jemand Kenntnisse einer Fremdsprache aneignet. Er beginnt als völlig Unwissender – am Ende »kennt« er die Sprache. Laut Hume beinhaltet dieser Vorgang drei Elemente: Evidenz, relevante Verallgemeinerungen und einen Denkvorgang, der vom einen zum anderen führt. Nun argumentiert Hume, weder die Logik allein noch Logik plus geeignete Zusatzannahmen, noch auch die Wahrscheinlichkeit könne angesichts der Evidenz die Generalisierungen »etablieren«. Das ist das »Humesche Problem«. Aber es ist ein Pseudoproblem, weil die Unterteilung in Evidenz, Generalisierungen und unterstützende Denkvorgänge in der Praxis nur selten anzutreffen ist. Was ist denn der »Augenschein«, auf den ein Individuum seine Kenntnis einer Sprache gründet, und was sind die »Generalisierungen«, die sein Wissen konstituieren? In Einzelfällen können diese Elemente identifiziert werden (etwa beim Auswendiglernen), in anderen Fällen dagegen nicht (Lernen durch Eintauchen in die Sprache), und außerdem ist die »Evidenz« bei weitem nicht so einheitlich, wie dieses Modell suggeriert. Wer durch Eintauchen (Immersion) Sprachen lernt, muß sich mit Slang, persönlichen Idiosynkrasien, dichterischen Freiheiten, Witzen und ähnlichem herumschlagen. Und wenn wir nun mal das ach so beliebte Beispiel mit den Raben heranziehen, dann würde man sagen: Sein [Humes] Problem besteht nicht darin, die Aussage »Alle Raben sind schwarz« zu untermauern, wenn einem zehn pechschwarze Raben zur Verfügung stehen, sondern vielmehr darin, wie die Aussage »Alle Raben sind schwarz« zu untermauern ist, wenn man ein Sammelsurium von Vögeln vor sich hat, von denen einige eindeutig Raben sind, andere Zweifelsfälle, einige ohne Federn, andere angegraut mit weißen Flecken und so weiter. Von solcher Art sind die meisten wissenschaftlichen Probleme – und das heißt, daß eine Lösung des Humeschen Problems für die wissenschaftliche Praxis irrelevant ist. Es mag Humesche Paradefälle geben – aber sie sind selten und kommen nur in den eher langweiligen Bereichen der Wissenschaft vor. Sehen Sie, deshalb kann es auch keinen »Popperschen Rumpf« geben, weil es nie einen völlig zusammenhängenden, lebendigen »Popperschen Körper« gegeben hat. Jedenfalls – wenn ich überhaupt einen »Rumpf« als Leiche im Keller habe, dann einen skeptischen Rumpf. Und der ist immer noch recht lebendig! Doch lassen Sie mich fortfahren – ich habe mal einen interessanten Aufsatz von Michael Polanyi über das Weltbild der Azande gelesen. Das war eine konkrete Beherzigung von Wittgensteins Ratschlag, hinzuschauen und zu sehen und nicht ins Abstrakte auszuweichen. Und dann Mill, *Über die Freiheit (On Liberty)*, da habe ich gelernt, daß unterschiedliche Weltanschauungen nicht unbedingt unverbunden nebeneinanderliegen müssen, sondern genutzt werden können, um das allgemeine Erkenntnisklima zu verbessern. Perspektiven und Lebensformen machen, so dachte ich mir, nur Sinn und erhalten nur dann Substanz, wenn sie eingebettet sind in eine Sammlung anderer Lebensformen. Ich habe auf dieser Grundlage sogar eine Versuchstheorie entwickelt ...

A: ... Ihr allgegenwärtiges Brownsches Teilchen ...

B: ... eine Idee, die ich David Bohm verdanke.

A: Aber das war immer noch eine philosophische Position.

B: Ja, Sie können das so nennen. Doch ganz allmählich wurde mir die Regulierung der Erkenntnis aus der Ferne, mit Hilfe von Prinzipien und abstrakten Modellen, suspekt. Ich dachte mir, daß die Welt und besonders das menschliche

Leben dafür viel zu komplex sind. Dann habe ich eine Aufsatzserie über Mill geschrieben ...

A: ... und schließlich *Wider den Methodenzwang.* Auf Mill folgte die Anarchie.

B: Und da liegt der Haken! Denn das, worauf ich hinauswollte, war weder eine Position noch eine Lehre, die zum Eckstein irgendeiner akademischen Disziplin werden könnte, sondern eine disziplinunabhängige Form des Denkens und Lebens. Das war der Grund, warum ich zu zeigen versucht habe, daß nicht einmal die Praxis der Wissenschaft sich mit allgemeinen Begriffen einfangen läßt, höchstens auf eine sehr vage, oberflächliche Weise. Sogar die Wissenschaft – ihrerseits schon voller Stereotype und vom Alltag menschlicher Wesen weit entfernt – liegt jenseits der Reichweite philosophischer Prinzipien und Methoden. Darüber haben wir ja gerade gesprochen.

A: Darüber haben *Sie* gesprochen, nicht ich. Aber was meinen Sie? Sie unterrichten doch immer noch, oder?

B: Nein, ich habe mich gerade von allen Tätigkeiten zurückgezogen.

A: Warum das denn? Das hatten Sie doch gar nicht nötig! In den USA gibt es keine Altersgrenze für Hochschullehrer.

B: Das stimmt. Aber ich habe mir diese Grenze selbst gesetzt. Außerdem habe ich eine wundervolle Frau, die in Rom arbeitet und die ich für meinen Geschmack bisher viel zu selten gesehen habe.

A: Aber Sie waren doch Philosophieprofessor, nicht wahr, und Sie haben Vorlesungen gehalten über die Philosophie der Wissenschaft und über ausgewählte Kapitel aus der Philosophiegeschichte?

B: Ja, ich war Beamter der Schweizer Bundesregierung und des

Staates Kalifornien, mit Stundenplan, Gehalt und Pensionsberechtigung. Aber all das hat mit Philosophie wenig zu tun.

A: Und was haben Sie in Ihren Vorlesungen getan?

B: Da habe ich Geschichten erzählt.

A: Geschichten?

B: Ja, Geschichten über alles mögliche. Vor zwei Jahren habe ich zum Beispiel verschiedene Episoden aus der Geschichte der Atomtheorie beschrieben, darunter Demokrit, Aristoteles, Bohr, Einstein, Aspect, Dalibard und Roger.

A: Aspect – wer ist das denn? Und wer sind die anderen?

B: Drei Experimentalphysiker aus Orsay in Frankreich. Mir ging es darum zu zeigen, daß sich keine interessante Idee jemals vollständig unterdrücken läßt, ganz gleich, wie ungünstig die Beweislage ist. Im Westen fing die Atomtheorie mit Parmenides an, der behauptet hat, daß sich nichts jemals verändere; sie wurde von Aristoteles widerlegt; und im 19. Jahrhundert haben einige Wissenschaftler die Atomtheorie nur noch als vorsintflutliches Monstrum betrachtet; und doch hat sie ein triumphales Comeback erlebt – die Molekularbiologen sind fast schon wieder so einfältig wie der alte Demokrit. In Berkeley habe ich die Geschichte der antiken Philosophie erzählt. Ich habe zum Beispiel mit einem Überblick über die Texte begonnen: Wieviel besitzen wir von Parmenides' eigenen Worten, und wie verläßlich ist die Tradition? Dann kamen die vorherrschenden literarischen Formen: das Epos, die lyrische Dichtung, Satire, wissenschaftliche Prosa (die ungefähr um diese Zeit erfunden wurde), das Drama, die politische Rede, der Sachvortrag, der Roman, die Kurzgeschichte und später der Dialog – mit Beispielen, um den Einfluß [dieser literarischen Formen] zu illustrieren. Und das waren nicht nur poetische Spielereien – diese Genres wurden benutzt, um zu informieren, zu kritisieren und religiöse, militärische, politische Vorschläge zu unterbreiten. Welche Form war am besten geeignet für die Absichten der neuen Gruppe von Großmäulern, die im 6. und 5. Jahrhundert v. Chr. die Bühne betraten, der sogenannten »Philosophen«; welche Formen haben sie benutzt und warum, und vor allem, was wollten sie eigentlich? Platon hat Drama, Epos und wissenschaftliche Prosa zurückgewiesen und den Dialog gewählt. Seine Beweggründe habe ich eingehend diskutiert, denn sie haben viel mit der Frage zu tun, inwieweit die Philosophie der Dichtung überlegen ist, *ob* sie ihr überhaupt überlegen ist.

A: Sie haben also in Ihren Vorlesungen argumentiert!

B: Nein, nein, nein, ich habe das *Leben* der Leute beschrieben, die sich einer eher engen Art von Argumenten verschrieben hatten, und ihren *Einfluß* auf andere. Ein auf Theorien aufgebautes Leben unterscheidet sich ja von einem auf Sympathie, Angst, Hoffnung oder Vernunft aufgebauten Leben. Ich habe versucht, diesen Unterschied sichtbar zu machen. Wann immer möglich, habe ich ein Bild heraufbeschworen: Empedokles mit seinen goldenen Schuhen, seiner Purpurrobe, dem ihn begleitenden Knabenschwarm, den Wundern, die er vollbrachte.

A: Und die Ideen dieser Philosophen?

B: Ja, ja, ihre Ideen. Natürlich habe ich auch erwähnt, was sie geschrieben haben, was sie gesagt haben oder gesagt haben sollen; ich habe die Auswirkungen ihrer Vorschläge auf ihre Philosophenkollegen und auf das allgemeine antike Publikum diskutiert; und, was mir am wichtigsten war, ich habe die modernen Nachwirkungen ihrer Aktivitäten in der Physik, der Biologie, der Soziologie, der Philosophie, Politik und so weiter diskutiert. Viele Ideen, die heute wie triviale Bestandteile der (wissenschaftlichen) Erkenntnis, der Ethik und Politik erscheinen, sind in der Antike aufgekommen und wurden daraufhin angegriffen, verteidigt und erneut angegriffen – alles mit hervorragenden Argumenten. Wer unpersönliche Gründe für seine Präferenzen und Aversionen braucht – ich selbst gehöre allerdings nicht zu dieser Sorte Mensch –, der kann aus diesen antiken Debatten eine Menge lernen, weil sie nicht durch nutzlose technische Einzelheiten verdunkelt werden. Und all das habe ich in Form von Geschichten erläutert – Geschichten, die Beweise oder Beweisschemata enthielten –, nicht durch das »Betreiben von Philosophie«.

A: Ging es in Ihren »Geschichten« denn nicht auch um etwas?

B: Natürlich. Viele Menschen erzählen Geschichten, in denen es um etwas geht: Journalisten, Dramatiker, Romanschriftsteller, Mütter, Wissenschaftler – in fast allen Märchen geht es um etwas. Nur die Philosophen, besonders die rationalistischen Philosophen, gelangen auf ganz seltsamen Wegen zu ihren Pointen: Ihre Geschichten sind sehr engmaschig geknüpft, so sehr, daß man sie kaum noch Geschichten nennen kann. Sie benutzen abstrakte und von allen Emotionen gereinigte Begriffe. Und sie benutzen solche Begriffe nicht, um unsere Sicht zu schärfen oder unser Leben zu bereichern, sondern um uns in enge, dunkle Gänge zu stoßen. Gefühle, Sinneseindrücke, Wünsche stehen erst dann zur Debatte, wenn sie wie Schmetterlinge gefangen, getötet und auf irgendeine philosophische Folterbank gespannt worden sind. Überdies sind die Philosophen, vor allem die Rationalisten, an allgemeinen Prinzipien interessiert, nicht am Leben von Individuen. Angesichts des Reichtums unserer Welt bedeutet das nichts anderes, als daß ihre Geschichten entweder hohl oder aber tyrannisch sind: Die Menschen müssen ihr Leben verstümmeln, um in ihre Geschichten zu passen. Lesen Sie doch Kant über die Ethik! Und Schillers Antwort!

A: Ich glaube, Sie haben da eine recht einseitige Ansicht von »Philosophie«. Was ist denn zum Beispiel mit Nietzsche, Kierkegaard oder Heidegger? Gerade vor ein paar Wochen habe ich ein Buch von jemandem gelesen – Nagel hieß er, glaube ich –, das absolut nicht zu Ihrer Beschreibung der Philosophie paßt.

B: Da haben Sie recht. Es gibt natürlich auch Ausnahmen. Es gibt Individuen, die sich als Philosophen bezeichnen und trotzdem standardisierte Diskurse nicht mögen, ja geradezu hassen. Aber diese Leute haben sich für ihre Klagen das falsche Medium ausgesucht, und sie wenden sich an das falsche Publikum. Sie sind Dichter ohne dichterisches Talent, aber nicht ohne eine gewisse Schläue; so haben sie sich einen eigenen Gegenstand geschaffen, bei dem Emotionsentzug eine Tugend und Mangel an Phantasie eine Voraussetzung des Erfolgs ist. Im Vergleich zu ihren noch stärker deprivierten Kollegen mögen sie vielleicht positiv auffallen, doch ansonsten hapert es bei ihnen leider ganz erheblich. Sehen Sie sich doch nur mal an, wie Philosophiestudenten für ihren Beruf ausgebildet werden! Werden ihre persönlichen Eigenheiten einbezogen? Nein. Gestattet man ihnen, sich »authentisch« auszudrücken? Selten. Bringt man ihnen bei, wie man mit anderen zusammenlebt, wie man deren Herz rührt? Ganz bestimmt nicht. Die alte Vorstellung von Objektivität, die eigentlich nichts anderes ist als die Kehrseite der Sterilität ihrer Erfinder, beherrscht die Szene nach wie vor, wenn auch in neuen, modischen Gewändern. Außerdem richten die Philosophen des 20. Jahrhunderts alles, was sie sagen, an eine sorgfältig ausgesuchte Autorengruppe – es zählt nur, was innerhalb dieser Gruppe geschieht. Rorty zum Beispiel sagt vieles, mit dem ich übereinstimme – aber ich würde niemals so schreiben wie er, und die Autoren, mit denen er sich auseinandersetzt, bedeuten mir herzlich wenig. Gleiches passiert auch auf anderen Gebieten: Ethik, Ästhetik, Anthropologie, politische Philosophie, wo man überall erwarten könnte, daß die Dinge nicht restlos aufgehen. Die Philosophie der Wissenschaft hatte nie einen Kierkegaard und – zum Glück – auch keinen Nietzsche. Selbst Kuhn gestattet der Geschichte nicht, unredigiert zu sprechen; er möchte sie mit theoretischen Seilen verschnüren.

A: Sie haben aber wirklich nicht viel Respekt vor der Arbeit der Philosophen!

B: Warum auch? Andererseits haben Mill, Wittgenstein oder Kierkegaard schon irgendwie zu meiner Erziehung beigetragen. Ich habe sie allesamt 1946 in einem feuchten Keller gelesen, umgeben von Spinnen, Asseln und rostigen Kanonenöfen. In den letzten zehn Jahren habe ich Platon studiert, den ich grenzenlos bewundere; und ich habe drei Jahre an der Vorbereitung einer Vorlesung über die *Physik* des Aristoteles gearbeitet, wirklich ein großartiges Buch ...

A: Ja, wenn das kein »Philosophieren« ist ...

B: ... aber hören Sie mal, ich studiere und diskutiere diese Autoren nicht, um ein *Thema* auszuschmücken oder eine *Ideologie* zu konstruieren oder um *Ideen* zu kultivieren – schließlich hat sich ungefähr zur Zeit von Platon und Aristoteles der Gegenstand »Philosophie« gerade erst herausgebildet –, sondern um mir selbst und meinen Zuhörern einen Überblick über die Möglichkeiten der menschlichen Existenz zu geben. Die Menschen werden geboren und sterben; sie verlieben sich, stützen einander, töten einander; sie singen, tanzen, schreiben Symphonien, argumentieren, predigen, malen. Aus diesem riesigen Panorama menschlicher Aktivitäten wähle ich, aufgrund der Zufälle meiner Erziehung und Bildung, einige Elemente aus, um sie vorzustellen, ohne dabei anzunehmen, daß mein kleines Museum in sich geschlossener, wichtiger, grundlegender oder profunder ist als etwa ein Auftritt von Laurie Anderson. Aber – und jetzt kommt etwas, das wie Verachtung aussieht: Ich kann es nicht ausstehen, wenn sogenannte Denker sich nicht nur anmaßen, alles besser zu wissen als ihre Mitmenschen – das wäre ja einfach nur Eitelkeit, und dagegen habe ich eigentlich gar nichts –, sondern wenn sie ihnen eine niedrigere, untergeordnete Existenz zuschreiben. Auf diesem Wege sind die Philosophen vorangegangen, wenigstens im Westen: Lesen Sie doch nur Heraklit, Parmenides, Xenophanes und natürlich Platon. Selbst Spinoza, der sanfte, bescheidene, liebenswerte Spinoza, läßt sich zu folgender Argumentation hinreißen: Gott sprach zu den Propheten in Bildern, weil die nicht intelligent genug waren, seine wahre Botschaft zu verstehen. Die Philosophen aber, mit ihren abstrakten Begriffen, sind es. Deshalb sind sie auch berechtigt, das unzusammenhängende Gestammel und Geschrei der Propheten beiseitezuwischen. Ich finde eine solche Einstellung ...

A: Wo sagt Spinoza das denn?

B: In seinem *Theologisch-politischen Traktat.* Nun, ich finde eine solche Einstellung verachtenswert.

A: Selbst wenn sie sich argumentativ stützen läßt?

B: *Gerade* wenn sie sich argumentativ stützen läßt! Wer würde denn seine Seele für ein Argument verkaufen? Aber so weit brauchen wir gar nicht zu gehen. Es gab einmal Zeiten, da genossen Ideen, die heute lächerlich oder gar abstoßend wirken, starke empirische und theoretische Unterstützung.

A: Haben Sie dafür ein Beispiel?

B: Natürlich – etwa die Vorstellung von einem Äther zur Ausbreitung des Lichtes und, später dann, aller elektromagnetischen Prozesse. Oder die Phlogiston-Theorie [eine Theorie aus dem 17. Jahrhundert zur Erklärung der Brennbarkeit chemischer Elemente; Anm. d. Übers.], die Ordnung in viele disparate Fakten brachte und verschiedene Angriffe unbeschadet überstand.

A: Da wüßte ich gern mehr über die empirische Begründung dieser Theorien ...

B: Nun, da müssen Sie sich einfach die Fachliteratur ansehen; aber achten Sie darauf, daß Sie die neueren Darstellungen benutzen, und halten Sie sich vor allem an die Historiker; einige der älteren Autoren haben sich besonders bemüht zu zeigen, daß die überholten Ideen eigentlich niemals sinnvoll waren; und die meisten Philosophen begnügen sich mit frommen Liedern und ein paar schlecht gewählten, schlecht überlieferten Begebenheiten. Jetzt nehmen Sie doch nur mal an, daß eines schönen Tages Biologen »entdecken«, d.h. vernünftige Belege dafür beibringen können, daß Intelligenz und Emotion genetisch verankert sind und daß es »gefährliche« Rassen gibt, also Rassen, die für die Zukunft der Menschheit eine Gefahr darstellen. Was würden Sie unter diesen Umständen tun?

A: Wie meinen Sie das?

B: Würden Sie als Bewunderer der Wissenschaft diese Sicht akzeptieren und bei Wahlen auf Kommunal-, Landes- oder Bundesebene Ihre Stimme entsprechend abgeben – würden Sie beispielsweise vorschlagen, die Mitglieder dieser Rasse zu eliminieren, oder würden Sie versuchen, sie vor den Folgen der neuen Entdeckung zu beschützen?

A: So etwas würden Wissenschaftler nie vorschlagen.

B: Haben sie aber bereits. Lesen Sie doch nur Steven Goulds Buch *Der falsch vermessene Mensch (The Mismeasure of Man)* oder Daniel Kevles' *In the Name of Eugenics* und andere Werke aus diesem Gebiet. Solche Bücher werden Ihnen die Augen öffnen, sag' ich Ihnen.

A: Aber was kann ich denn tun?

B: Eine ganze Menge! Nehmen wir mal an, Sie verlieben sich in ein Mitglied dieser gefährlichen Rasse. Dann haben Sie einen Erkenntniszugang, den kein Wissenschaftler besitzt – es sei denn, er ist selbst verliebt. Und das beschert Ihnen nicht nur eine Erkenntnis, sondern auch eine Motivation: den Wunsch, zu beschützen, den Wunsch, die wissenschaftliche Darstellung durch Ihre eigene Sichtweise zu ersetzen ...

A: Liebe gegen wissenschaftliche Ergebnisse?

B: Was sonst? Natürlich kann ich den Fall mit Ihnen nicht *argumentativ* besprechen, denn es geht ja letztlich nicht um eine Verbindung von Ideen, sondern um die Macht eines Gefühls ...

A: Gefühle gegen Argumente?

B: Sehen Sie mal, für das Funktionieren von Argumenten braucht man klare Begriffe. Stimmen Sie mir da zu?

A: Ja, es wäre gewiß schwierig, eine schlüssige Argumentation mit emotional aufgeladenen Wörtern aufzubauen.

B : Aber emotional aufgeladene Wörter haben im Leben eine Funktion, oder?

A: Nun, ...

B : Mit ihrer Hilfe lassen sich persönliche Beziehungen aufbauen und erhalten. Ich frage: »Sind Sie traurig?« – und Sie verstehen mich vollkommen; Sie verstehen auch die Sympathie, die durch diese Frage übermittelt wird; diese Sympathie schafft eine Bindung – und all das würde zerstört, wenn wir ungenaue Ideen, Gesichtsausdrücke und Gesten sowie emotional aufgeladene Wörter durch präzise, keimfreie Begriffe ersetzen würden. Überdies lassen sich Wörter, Gesten und Gesichtsausdrücke niemals so getrennt betrachten, wie es der Logiker voraussetzt. Die Frage »Sind Sie traurig?« ist Teil eines komplexen Phänomens, das zerfällt, wenn wir seine »semantischen« Bestandteile isolieren. Wir haben also eine Wahl: Wollen wir, daß die von der Rationalisierung hervorgerufenen destruktiven Veränderungen *alle* Bereiche unseres Lebens erfassen, oder wollen wir noch einen nennenswerten Teil jenes Diskurses bewahren, den ich gerade beschrieben habe? Für mich ist die Entscheidung klar. Rationale Argumente ja, aber an besonderer Stelle, nicht im Mittelpunkt der menschlichen Existenz.

A: Sie meinen, im Zentrum sollten die Emotionen herrschen, ganz ohne Erkenntnis?

B : Bauschen Sie die Sache doch nicht so auf! Die von den Rationalisten definierte Erkenntnis, die objektive, emotional keimfreie Erkenntnis, deren sämtliche Bestandteile in klaren Aussagen niedergeschrieben werden können, ist ja nicht die einzige Form der Erkenntnis, nicht einmal in den Wissenschaften. Wer Experimente unternimmt, muß sich mit seiner Ausrüstung gut auskennen. Dieses »stillschweigende Wissen«, wie Michael Polanyi es genannt hat, ist das Ergebnis langer Erfahrung; es ist nur selten explizit und wird bei formelleren Prozeduren vorausgesetzt, nicht eliminiert. Ja, und in noch weit größerem Maß ist das Wissen einer Person über eine andere »stillschweigend« zu nennen. Es zeigt sich in teils bewußten, teils unbewußten Aktionen, beeinflußt die Wahrnehmung, und wenn es artikuliert wird, verändert es sich auf subtile Weise: Die gemalte oder dramatisierte Person ist nicht identisch mit jener Person, mit der man ungezwungen im Restaurant sitzt. Auch nur eine Minute im Leben eines Individuums zu beschreiben, kann Monate dauern und ist gewissermaßen unendlich – es gibt einfach keine klar definierte, begrenzte Faktenmenge namens »alle Tatsachen aus dem Leben von XY am Montag, den 25. Juni 1989, zwischen 11.24 Uhr und 11.25 Uhr«. Lesen Sie Pirandello! Die Rationalisten streben letztlich danach, diesen Reichtum durch etwas zu ersetzen, das sich leichter handhaben läßt. Wir, die Bürger, die ihre Gehälter bezahlen, müssen sie genau beobachten und uns einmischen, wenn sie zu weit gehen.

A: Wollen Sie damit etwa eine Kontrolle der Philosophie, der Forschung und der Verbreitung von Wissen vorschlagen?

B: Nur, wenn diese Verbreitung die personalen Elemente unserer Existenz endgültig zu zerstören droht! Die von Rationalisten definierte und hervorgebrachte Erkenntnis ist ein wertvoller Bestandteil des Lebens; aber wie Autos, Flugzeuge und Kernreaktoren hat auch sie Nebeneffekte, die es erforderlich machen könnten, ihren Gebrauch zu regulieren ...

A *(steht mit angewidertem Gesichtsausdruck auf)*: Das ist also wirklich Ihr Ernst! Erkenntniskontrolle! Gedankenkontrolle!

DAS SCHAF *(rennt fort).*

B: Mensch, ihr Philosophen geht mit der Erkenntnis genauso um wie die American Rifle Association (amerikanische Waffenlobby) mit dem Waffenbesitz: Man darf nicht daran rütteln, ganz egal, wie gefährlich die Auswirkungen sind. Aber schauen Sie, zuviele Autos lassen Wälder, Seen und Menschen sterben, sie verpesten die Luft, verursachen Verkehrsstaus, machen die Kinder mit ihrem Lärm nervös und so weiter und so weiter. Trotzdem lieben die Leute ihre Autos noch immer; so leicht geben sie sie nicht her. Deshalb brauchen wir Gesetze zur Regulierung der Autobenutzung. Und zuviel »rationaler«, also entemotionalisierter Diskurs gefährdet die subtilen Verbindungen zwischen Erkenntnis, Emotion, Aktion, Hoffnung, Liebe und den Bestandteilen unseres Lebens. Ist unser Verstand denn weniger schützenswert als unsere Lungen? Und dabei geht es nicht mal nur um unseren Verstand! Für Descartes sind Tiere Maschinen, ist jedes Gefühl ihnen gegenüber fehl am Platz. Soweit es mich betrifft, ist das eine barbarische Einstellung, mit der Descartes noch weit unter dem dümmsten Shawnee-Indianer steht. Und solchen Barbaren sollen wir gestatten, über unser Leben zu bestimmen, unsere Gefühle zu manipulieren und unsere Handlungen zu determinieren?

A: Und was ist, wenn Descartes recht hat?

B: Wer soll das denn entscheiden? Tierliebhaber oder Forscher, die keine Gewissensbisse haben, wenn sie lebendige Tiere quälen? Die von beiden Seiten gesammelten Fakten werden sehr unterschiedlich ausfallen.

A: Ja, auf der einen Seite subjektive Meinungen, auf der anderen objektive Tatsachen.

B : Offenbar haben Sie Lorenz nicht gelesen. Außerdem – wer sagt denn, daß der objektive Ansatz ins Zentrum der Dinge vorstößt und subjektive Meinungen gegenstandslos sind? Und wie läßt sich diese Unterscheidung überhaupt erst einmal rechtfertigen? Zumal in der Psychologie, und selbst in der Physik, inzwischen anscheinend entsprechende Zweifel aufgekommen sind?

A: Die Abweichungen im Bereich der Quantenmechanik sind auf makroskopischer Ebene irrelevant ...

B : Erstens sind sie das nicht, wie sich bei der Supraleitung und anderen Phänomenen zeigt. Und zweitens, selbst wenn sie es wären, müßten wir immer noch zugeben, daß Objektivität nicht a priori Bestandteil der Wissenschaft ist, sondern lediglich ein Forschungsansatz, der Resultate erbringen, der aber auch scheitern kann.

A: In der modernen Biologie gibt es aber eine Fülle von Resultaten.

B : Sie meinen, in der Molekularbiologie! Richtig. Auf diesem engen Gebiet hat Descartes' Hypothese Ergebnisse gebracht. Die Frage ist aber nun: (1) Sind diese Ergebnisse wichtig, (2) begründen sie die Hypothese, und (3) können wir die Ergebnisse, die wir für wertvoll halten, akzeptieren und trotzdem die Hypothese zurückweisen? Die Antwort lautet: (1) teils, teils; (2) nein; (3) ja. Denn wir müssen unterscheiden zwischen den Auswirkungen einer begrenzten Anwendung der Hypothese in den Labors und den Auswirkungen ihrer allgemeinen Akzeptanz. Die letzteren sind absolut nicht wünschenswert. Denn dann wird impliziert, daß die Natur legitimes Objekt für das Studium und für grenzenlose Veränderungen ist, daß sie wie ein großes altmodisches Hotel erforscht, gesäubert und umgebaut werden muß. Sie werden mir sicher zustimmen, daß diese Einstellung bereits zu schlimmen Konsequenzen geführt hat. Es wäre deshalb überhaupt nicht ratsam, die Ideologien einer Berufsgruppe zum Bestandteil des allgemeinen Erziehungswesens zu machen. Ihr, unsere lieben Genies, – würden wir dann zu unseren Spezialisten sagen – dürft in eurer Forschung so barbarisch sein, wie ihr wollt – aber erwartet nur nicht, daß *wir* diese Einstellung akzeptieren, die ihr für eure Entdeckungen anscheinend braucht.

A: Das ist ja das reinste Parasitentum!

B: Absolut nicht! Die Barbaren werden schließlich bezahlt, oder etwa nicht? Stellt man ihnen nicht teure Laboratorien zur Verfügung? Gestattet man ihnen nicht, ja ermutigt man sie nicht sogar, das zu tun, was sie am liebsten tun? Millionen Dollar werden für ihre größenwahnsinnigen Pläne verschwendet, sie werden mit Preisen ausgezeichnet, erscheinen im Fernsehen und so weiter und so weiter. Warum indes sollten wir sie imitieren und die Welt auf ihre Weise betrachten? Wir benötigen doch auch Dienstpersonal; wir bilden es aus, bezahlen es, zahlen eine Pension – und doch sagt niemand, dessen Philosophie sollte zur Grundlage einer ganzen Zivilisation gemacht werden.

A: Aber glauben Sie denn nicht, daß Denkverbote schreckliche Folgen haben werden?

B: Das Denken ist doch bereits in vielerlei Hinsicht eingeschränkt, und zwar mit guten Gründen. Natürlich kann es auch unvorhergesehene Folgen geben. Aber was wäre denn die Alternative? Nichtstun? Außerdem schlage ich ja gar nicht vor, das *Denken* zu beschränken, sondern nur gewisse *institutionelle Verstärkungen* des Denkens. Die Verteidiger Salman Rushdies – zu denen ich, wohlgemerkt, nicht gehöre – wollen ja nicht einfach, daß er denkt; sie wollen, daß Verleger, Fernsehstationen und Buchklubs seine Gedanken – mit Gewinn – verbreiten. Nicht die *Gedankenfreiheit* erfüllt mich mit Sorge, sondern die Freiheit des *mit Macht verbundenen Denkens.* Denn Macht, egal wie sie eingesetzt wird, muß immer sehr sorgfältig beobachtet werden! Schriftsteller weisen gerne darauf hin, daß die Feder mächtiger sei als das Schwert. Nun, wenn sie recht haben, dann ist die Feder auch gefährlicher. Stellen Sie sich nur den folgenden Fall vor: Eine Gesellschaft befindet sich am Rande des Bürgerkriegs, und ein Schriftsteller schreibt ein Buch, das diesen Krieg auslösen könnte. Als verantwortlicher Herrscher würde ich anordnen, daß das Buch verbrannt und der Autor ins Gefängnis gebracht wird; es sei denn, er verspricht feierlich, auf weniger gefährliche Zeiten zu warten. Wenn es nach mir geht, dann sind Menschenleben allemal wichtiger als Wörter, die vorgeben, für Ideen zu stehen. Außerdem habe ich Ihnen ja gerade gesagt, daß die von Emotionen gereinigte, »objektive« Erkenntnis nur eine Form der Erkenntnis ist, und zwar bei weitem nicht die wichtigste. Menschliche Beziehungen werden durch Einfühlung geschaffen und aufrechterhalten; und den Objektivisten zuliebe können wir die Einfühlung ja wie die Benutzung eines Mikroskops als eine spezielle Operation ansehen, die zu speziellen Einsichten führt, die auf andere Weise nicht zu gewinnen sind ...

A *(angestrengt)*: ... also, die Sache mit der Denkkontrolle will ich hier nicht weiter vertiefen; aber Sie haben doch gerade selbst gesagt, daß es heutzutage Philosophen gibt, die die Existenz verschiedener Erkenntnisformen betonen ...

B : Ja, Kierkegaard und Polanyi zum Beispiel, und ich bewundere beide. Aber kann man denn sagen, daß sie genauso wirkungsvoll und nachhaltig die personalen Elemente der Erkenntnis stützen wie Filme, Theaterstücke, Dichtung oder das Selbstwertgefühl, das in Individuen durch die Liebe der Eltern aufgebaut wird? Polanyi als Philosoph *beschreibt* wissenschaftliche Phänomene, die nicht ins objektivistische Bild passen; aber er *schafft* sie nicht. Das tut Polanyi vielmehr als Physikochemiker. Auf ähnliche Weise können die Philosophen jene besondere Art von Erkenntnis, an die ich hier denke, *identifizieren*, sie können sie *beschreiben*, wenn auch recht unvollkommen, weil ihre Sprache durch Objektivität verseucht ist; sie können sie *preisen*, und sie können sich einer Abspaltung vom Rest *widersetzen* – aber es gibt keinen einzigen Philosophen, der wie ein Künstler, ein Heiliger oder ein Politiker diesem »Rest« Profil, Kraft und Substanz verleihen könnte. Und das meine ich letztlich, wenn ich sage, daß die »guten« Philosophen, die es ja gibt, sich das falsche Metier und das falsche Medium für ihre Vorschläge ausgesucht haben.

A: Ist das der Grund, warum Ihnen Ayn Rand lieber ist als Foucault?

B: Sie haben also von meinem Ausspruch gehört? Ja! Rands *Atlas wirft die Welt ab (Atlas Shrugged)* ist die beste Einführung zu Aristoteles, die ich kenne.

A: Ist das Ihr Ernst?

B: Das müssen Sie schon selbst herausfinden! Dieses Buch ragt über die blutleeren Produktionen unserer Akademiker weit hinaus. Da gibt es Liebe, Mord, Unzucht, Industriespionage und Geheimnisse – und all das führt hin zu den Prinzipien der Aristotelischen Philosophie. Natürlich akzeptiere ich Rands Werk nicht – aber sie hat wenigstens ein

Werk vorzuweisen, ein konkretes Produkt, und nicht nur leere Worte. Was wir brauchen, um auf diesem Gebiet voranzukommen, ist nicht von distanzierter Reflexion begleitete Praxis, sondern eine Kombination aus philosophischer Reflexion und künstlerischer (oder wissenschaftlicher) Produktion, oder – weil die philosophische Reflexion zu weiten Abschweifungen neigt und weil diese Tendenz heutzutage durch den Drang zur Spezialisierung noch weiter gefördert wird –: was wir wirklich brauchen, ist eine intelligente, über sich selbst reflektierende Produktion auf allen Gebieten. Mit anderen Worten: Was wir brauchen, ist ein *Leben*, das, weise und gut gelebt, große Teile der berufsmäßigen Philosophie entbehrlich macht. Sie sehen: Es gibt hervorragende Gründe, warum ich für die professionelle Philosophie wenig Sympathie empfinde.

A: Aber ist das denn nicht, für sich genommen, auch eine philosophische Position? Hooker jedenfalls meint das. Er beginnt seinen Essay mit einem Kapitel, dessen Überschrift lautet: »Einordnung Feyerabends in eine Theorie der westlichen Traditionen«. Und er identifiziert Sie als Anarchisten.

B: Das ist schon okay, aber nicht sehr erhellend, denn das kann man bei jedem machen. Man konstruiert ein Begriffsraster und klassifiziert ihn (oder sie) dann mit dem Begriff, der seiner (oder ihrer) Existenzweise am nächsten kommt. Doch andere Raster können zu anderen und vielleicht passenderen Charakterisierungen führen. Wenn es bei Ihnen etwa nur die Kategorien Pflanzen und Götter gibt, nun, dann bin ich am Ende eine Pflanze. Gibt es nur Heilige und Verbrecher, dann werde ich wohl unweigerlich als Verbrecher enden. Die frühen Anthropologen haben die Lebewesen eingeteilt in Christen, Ungläubige, Tiere und Ungeheuer – und dann haben sie sich entsetzlich schwer mit dem Versuch getan, die amerikanischen Indianer einzuordnen. Wenn man von Hookers Raster ausgeht, dann kann ich nichts anderes sein als ein Anarchist. Bezieht man indes die Arbeit von Marcello Pera mit ein, dann bin ich ziemlich sicher, daß ich vielleicht etwas »Rationalität« zurückgewinnen kann, wenn der Bereich Rhetorik im Raster enthalten ist.

A: Marcello Pera hat auch einen Beitrag geschrieben.

B: Ja? Wo ist er denn? (*Er durchsucht die Aufsätze, während er weiterredet.*) Und warum muß denn alles, was jemand sagt oder tut, sofort mit »Positionen« in einem Spezialgebiet verbunden werden? Es kommt noch soweit, daß man nicht mal mehr sagen kann: »Ich bin müde«, ohne daß einem daraufhin gleich zu einigen grundlegenden physiologischen Themen eine »Position« angedichtet wird ... *(Er schaut ängstlich auf seine Uhr, traurig auf die sich am Horizont neigende Sonne und mit bangen Vorahnungen auf As Bündel.)* ... Nun, ich glaube, wir sollten mit dieser Sache mal zum Ende kommen ...

A: Sie wollen jetzt auf die Beiträge antworten?

B: Das wäre meiner Meinung nach nicht sehr sinnvoll.

A: Warum denn nicht?

B: Zum Beispiel, weil einige der Beiträge schon vor mehr als zehn Jahren geschrieben und veröffentlicht wurden. Ich habe darauf bereits auf deutsch und, in anderer Form, auf englisch geantwortet. Sie können meine Kommentare nachlesen in Band 2 von Hans Peter Duerrs Sammlung *Versuchungen* (Frankfurt/M. 1980/81), im zwölften Kapitel meines Buches *Farewell to Reason* (London 1987) und im vierzehnten Kapitel (»Leb wohl, Vernunft!«) von *Irrwege der Vernunft* (Frankfurt/M. 1989), der teilweise überarbeiteten deutschen Fassung von *Farewell to Reason.*

A: Heißt das, daß Sie nach wie vor hinter diesen alten Antworten stehen?

B: Nur hinter einigen. Ich bin zum Beispiel der Ansicht, daß mein Austausch mit Van de Vate im Duerr-Sammelband einen wichtigen Beitrag zur Galilei-Forschung darstellt. – Dann waren einfache, geradezu kindische Fehler zu korrigieren ...

A: Zum Beispiel?

B: ... Nun, Ernest Nagel hat geschrieben, aus ein oder zwei historischen Episoden eine Willkür [der Wissenschaftsmethodik] abzuleiten, sei kein zwingender Schluß. Stimmt, ist aber irrelevant. Denn was ich sage, ist, daß die wissenschaftliche Verfahrensweise – die an sich weder willkürlich noch unsystematisch ist – beides werden kann, wenn man nach populärrationalistischen Maßstäben urteilt. Margolis trifft den Nagel auf den Kopf: In meinem Anarchismus werden die Methoden nicht beseitigt, sondern reformiert; an die Stelle von »Prinzipien«, »Präsuppositionen« und »notwendigen Voraussetzungen für Wissenschaftlichkeit« treten einfach Faustregeln.

A: Hat Ernest Nagel denn etwas für Ihre Festschrift geschrieben?

B: Nein, aber seine Bemerkung ist leider typisch. Eine andere typische Bemerkung stammt von C. G. Hempel: Als er im österreichischen Fernsehen etwas über mich sagen sollte, antwortete er, »Anything goes« könne nicht als Grundlage einer nützlichen Philosophie der Wissenschaft dienen. Natürlich nicht. Ich hatte auch überhaupt nicht die Absicht, [mit diesem Motto aus *Wider den Methodenzwang*] lange, aber vertraute Dogmen über die Wissenschaften durch kurze und befremdliche zu ersetzen. Meine Aussage war vielmehr, daß man die Wissenschaften für sich selbst sprechen lassen sollte und daß ihre Botschaft nicht in einer Theorie oder in einem Methodensystem zusammengefaßt werden könne. Noam Chomsky hat mir die Ansicht zugeschrieben, ein jeder Standpunkt sei so gut wie jeder andere ...

A: ... Ihr Relativismus ...

B: Mein *sogenannter* Relativismus: Selbst in meiner extravagantesten relativistischen Laune habe ich nie eine solche Aussage gemacht – ganz im Gegenteil, ich habe sie sogar ausdrücklich zurückgewiesen. Chomsky behauptet ebenfalls, daß das »Alles ist möglich« (»everything goes«, seine Version von meinem »anything goes«) uns bei der praktischen wissenschaftlichen Arbeit kaum eine Hilfe sei. Natürlich nicht – aber das gilt genauso für die von den führenden Wissenschaftsphilosophen vorgetragenen Prinzipien. Bei der wissenschaftlichen Arbeit muß man sich vollkommen in die relevante Forschungssituation vertiefen; reine Schlagworte hingegen, ganz gleich, ob sie rationalistischer oder weniger angesehener Herkunft sind, sind irrelevant und irreführend, ganz besonders, wenn sie von einem kohärenten philosophischen System gestützt werden. Martin Gardner, der Leithammel einer »wissenschaftlichen Philosophie«, hat sich doch schon mit seinem Aufsatztitel blamiert: »Anti-Wissenschaft: Der seltsame Fall des Paul Feyerabend« (»Anti-Science: The Strange Case of Paul Feyerabend«). Anti-Wissenschaft? Bedenken Sie doch nur, daß ich Galileos Verfahrensweise lobe und ihre Anwendung in der Philosophie empfehle. Doch all dieser Hickhack ist eher langweilig und bringt weder philosophisch noch sonst irgend etwas ein. Ich könnte mich selbst in den Hintern treten, daß ich für Trivialitäten derartig viel Zeit verschwendet habe ...

A: Wollen Sie damit sagen, daß die Essays hier *(zeigt auf das Bündel)* auch solch triviale Fehler enthalten?

B: Manche sind sogar noch schlimmer.

A: Wessen Beiträge?

B: Das sage ich nicht.

A: Und wie erklären Sie sich diese Mißverständnisse?

B: Warum sollte ich mich um die Dummheit anderer sorgen?

A: Und doch haben Sie ihnen detailliert geantwortet, nicht nur einmal, sondern verschiedentlich ...

B: ... weil ich ein Idiot bin!

A: Können Sie mir das schriftlich geben?

B: Warum denn? Ich werd's nicht abstreiten. Ich gehöre nicht zu jenen Leuten, die sorgfältig jedes Komma planen, das sie zu Papier bringen, und jedes Lüftchen, das sie ausatmen, nur damit die »Geschichte«, das heißt die Dummköpfe von morgen, ihre Perfektion bewundern kann. Also, weiter im Text, zu meiner Behauptung, daß die meisten – nein, ich würde sogar sagen: *alle* – Formen des Rationalismus, die mehr sind als reines Beiwerk, mit der wissenschaftlichen Praxis im Konflikt liegen. Denn sie bieten nicht nur ein verzerrtes, unrealistisches Bild der Wissenschaft, sie würden die Wissenschaft sogar behindern, zöge man sie als Grenzbedingungen der Forschung heran.

A: Aber Popper, um nur ein Beispiel zu nennen, hat viele Wissenschaftler auf seiner Seite – darunter sogar Nobelpreisträger! Lorenz, Medawar, Eccles, alle loben sie Popper wegen seiner überlegenen Beherrschung der wissenschaftlichen Methodik. Bondi sagt, alles, was er, Bondi, je über Methoden geschrieben habe, sei nichts als eine Fußnote zu Poppers Werk. Bedeutet das denn gar nichts?

B: Nein. Bondi hatte schließlich einen besonderen Grund: Seine Steady-State-Theorie war in Schwierigkeiten – aber wenigstens war sie, laut Popper, wissenschaftlich, und so hat der Ertrinkende ganz natürlich nach diesem schwachen Strohhalm gegriffen. Und was die anderen betrifft – nun, während der Nazizeit haben viele Wissenschaftler Einwände gegen die Relativitätstheorie erhoben; sogar zwei Nobelpreisträger, Lenard und Stark, haben sie als typisch jüdisches Machwerk kritisiert. Wissenschaftler, auch Nobelpreisträger, leisten auf eng begrenzten Gebieten Hervorragendes; doch außerhalb dieser Gebiete fallen sie oft böse auf die Nase, jedenfalls viele von ihnen. Lassen wir also die *Wissenschaftler* in Poppers Schlepptau beiseite, und schauen wir uns das *Thema* an, das zur Debatte steht: das Verhältnis zwischen der wissenschaftlichen Praxis und dem »Rationalismus«. Nun, ich glaube, daß das, was ich in *Wider den Methodenzwang* dazu gesagt habe, im wesentlichen korrekt ist. Allerdings wird die Sache heute mehr im Detail und mit besseren Beispielen von einer neuen Generation von Historikern und Philosophen erläutert. Hier *(er zeigt auf eine Seite in Marcello Peras Beitrag)*, sehen Sie, was Marcello Pera dazu in seiner Zusammenfassung schreibt:

»Ziel dieses Artikels ist es, die Lösung der Whigs für das Problem des wissenschaftlichen Fortschritts zu retten. Zu diesem Zweck wurde von uns folgende Definition vorgeschlagen: Ausdrücke wie ›T2 bedeutet gegenüber T1 einen Fortschritt‹ sind gleichbedeutend mit ›Die Anhänger von T2 haben über die Anhänger von T1 einen ehrlichen Sieg errungen‹. Ferner wurde versucht, die Idee eines ›ehrlichen Sieges *ohne* [meine Hervorhebung, P.F.] unparteiischen Schiedsrichter‹ zu definieren.«

Pera will damit folgendes sagen: Die Idee, daß es unparteiische Maßstäbe der Rationalität gibt, die von der Vergangenheit bis in die Zukunft immer gültig sind, mag sich zwar als frommer Wunschtraum erweisen, doch gibt es Argumentationsstrukturen, die Eingang in die Wissenschaften gefunden und diese beeinflußt haben; ähnliche Strukturen wurden bereits von einer alten Disziplin, der Rhetorik, untersucht, und es müßte möglich sein, diese Disziplin zu erweitern und für die Forschung nutzbar zu machen. Da kann ich nur aus vollem Herzen zustimmen, und ich hätte dies auch schon vor zwanzig Jahren getan, als ich anfing, *Wider den Methodenzwang* zu schreiben. Ferner gibt es Bücher wie Peter Galisons *How Experiments End*. Galison lenkt unsere Aufmerksamkeit auf die Art und Weise, wie sich die Forschung in weiten Bereichen der Physik in den letzten fünfzig Jahren verändert hat: An die Stelle einsamer Individuen mit winzigen Apparaten sind Forscherteams getreten, die Hunderte von Mitgliedern haben, in Forschungsstädten wie CERN [in Genf] oder Brookhaven National Laboratory [im Staat New York] residieren und deren Ausrüstung großen Industrieanlagen ähnelt. Galison hebt auch die Unterscheidung zwischen einem auf Entdekkung und einem auf Rechtfertigung ausgerichteten Kontext auf und zeigt, daß es für einen forschungsunabhängigen Rationalismus in der wissenschaftlichen Praxis keinen

Ansatzpunkt gibt. Besonders interessant ist seine Aussage, daß zwischen der Austragung wissenschaftlicher Dispute und ähnlichen Verhandlungen vor politischen Vertragsabschlüssen eine Menge Gemeinsamkeiten bestehen: In beiden Fällen gibt es unterschiedliche Parteien mit unterschiedlichen Informationen, Fähigkeiten, Ideologien und einem unterschiedlichen Zugang zu dem, was alle Beteiligten als »objektive« Fakten zu akzeptieren bereit wären; es gibt Erkundungen in kleinen Arbeitsgruppen, es gibt Verhandlungen per Telefon, Brief, Computerausdruck und Konferenzen; eine Gruppe gibt hier ein bißchen nach, die andere dort ein bißchen; nationale Interessen und finanzielle Belange werden aufs Tapet gebracht, bis schließlich alle »zur Unterschrift bereit« sind, obgleich nicht alle dabei glücklich sind. Hier liegt für Peras Wissenschaftsrhetorik wunderbares Material bereit, aber auch für Philosophien wie die von Ian Hacking oder für die Ideen von Arthur Fine, Nancy Cartwright und anderen. Arthur Fine und seine Kollegen sind gegen philosophische »Rekonstruktionen« oder »Interpretationen« der Wissenschaft, und sie legen uns nahe, »die Wissenschaft nach ihren eigenen Kriterien zu behandeln«.

A: Aber haben Sie denn nicht Einwände gehabt gegen die Deutung der Wissenschaft als eines einfachen, kohärenten Ganzen ...

B: Ja, das habe ich. Und das macht Fines Ansatz sogar noch besser, denn darin wird deutlich, daß wir es nicht mit einem perfekt entworfenen Gebäude aus wetterfestem Beton zu tun haben, sondern mit einer schlecht arrangierten, chaotischen Ansammlung halbfertiger Häuser, vergammelnder Holzhütten inmitten von Sümpfen ...

A (*liest aus* Wider den Methodenzwang *vor)*: »Viele der Reibungen und Widersprüche, die in der Wissenschaft vorkommen, liegen in dieser Ungleichartigkeit des Materials, dieser ›Unegalität‹ der geschichtlichen Entwicklung, wie sich Marx ausgedrückt hat, und sie haben keine unmittelbare theoretische Bedeutung. Sie ähneln sehr den Problemen, die entstehen, wenn man ein Kraftwerk gleich neben einem gotischen Dom bauen will ...«

B : Das habe ich gesagt?

A: Ja, hier auf Seite 202 [der deutschen Ausgabe; englische Ausgabe: S. 146].

B : Klingt gut – aber ich habe diese »Unegalität« nur behauptet, Galison zeigt sie ...

A: Haben Sie denn Ihre eigene Arbeit vergessen? Sie haben diese Ungleichartigkeit doch in Verbindung mit dem Teleskop und mit der Dynamik Galileis gezeigt, und zwar, soweit ich mich erinnere, recht detailliert.

B : Ja, habe ich das? Hmm. Nett zu hören. Ich muß auch gestehen, daß mir bei dem Vorschlag, »die Wissenschaft nach ihren eigenen Kriterien zu behandeln«, nicht ganz wohl ist. In gewisser Weise stimmt er mit meinen eigenen Intentionen überein. Aber wenn wir »die Wissenschaft nach ihren eigenen Kriterien behandeln«, warum dann nicht auch die Religion? Und wenn wir die Religion nach ihren eigenen Kriterien behandeln, was wird dann aus der Trennung von Staat und Kirche? Hinter diesem Ausdruck verbergen sich eine ganze Menge Probleme, aber das hindert ihn nicht, eine guter, nein, ein ausgezeichneter Neuanfang nach dem dunklen Zeitalter des Popperschen Positivismus zu sein. Jedenfalls erscheint die sogenannte »Objektivität« der Wissenschaft und der wissenschaftlichen Resultate jetzt in einem völlig neuen Licht. Wenn ich mir diese Entwicklungen ansehe (und auch ältere Arbeiten, beispielsweise von Holton, sowie natürlich Tom Kuhns großartiges Buch, das allen Formen des Positivismus ein Ende setzt), dann bin ich drauf und dran, meinen Laden dichtzumachen und mich anderen Dingen zuzuwenden. Denn die Sache liegt in guten Händen.

A: Wollen Sie damit sagen, daß *Wider den Methodenzwang* diese wunderbaren Auswirkungen auf Philosophen, Wissenschaftler und Historiker hatte?

B: Nein, überhaupt nicht! Tom Kuhn hat schon die Geschichte [der Wissenschaft] studiert, als ich noch in abstrakte Spekulationen verstrickt war; ich glaube nicht, daß Galison mein Buch je angeschaut hat – er hatte gewiß Besseres zu tun; Pickering hat sich auf die positiven Vorschläge verlassen, die aus gewissen Schulen der Wissenschaftssoziologie kamen; Hacking hat einige der Sachen gelesen, die ich eher nebenbei geschrieben habe, doch er ist seinen eigenen Weg gegangen. Nein, die neue Geschichte und Philosophie der Wissenschaft – übrigens genau das, worauf sich Ravetz in seinem Aufsatz von vor zehn Jahren schon gefreut hat – besitzt völlig andere Ursprünge!

A: Dann war Ihr Buch also nutzlos und der ganze Wirbel, den es verursacht hat, jede Menge heiße Luft!

B: Das ist gut möglich. Aber es hat vielleicht ein paar graue Zellen aufgerüttelt und den Untergang einiger schon mehr als fauler Sichtweisen beschleunigt. Andererseits sind jedoch die meisten Wissenschaftler und Philosophen mit den von mir gerade erwähnten Autoren und Gedanken nicht vertraut. Schlimmer noch, den Vertretern der sogenannten »weichen« Wissenschaften fehlt es an methodischer Phantasie, und deshalb bewundern sie natürlich die einfältigen Karikaturen [von Wissenschaftlichkeit], die sie in den philosophischen Lehrbüchern finden (daher erscheinen mir auch Arne Naess' Kommentare über die »weichen« Wissenschaften etwas zu optimistisch). So bin ich vielleicht als Popularisierer und Propagandist immer noch zu etwas nütze. Auch habe ich Briefe von Wissenschaftlern aus der dritten Welt bekommen, die unter der Spannung zwischen den Traditionen ihres Landes und den destruktiven, aber anscheinend unausweichlichen Kräften der Wissenschaft litten und die nach der Lektüre meines Buches wohl ein wenig entspannter geworden sind. Doch bei der Forschung zum Thema Wissenschaftspraxis gegen philosophischen Rationalismus ziehe ich mich jetzt gern aus der vordersten Front zurück und überlasse diese Auseinandersetzung den schon erwähnten Autoren, zumal ich viel zu faul bin, die harte Arbeit des Interviewens, des Briefstudiums in verschiedenen Sammlungen und so weiter und so weiter, was alles so dazugehört, weiterhin auf mich zu nehmen.

A: Kommen wir also zu Ihrem Relativismus.

B: Ja, kommen wir zu meinem sogenannten Relativismus.

A: Wie meinen Sie das – »sogenannter Relativismus«? Wollen Sie bestreiten, daß Sie den Relativismus verteidigt haben? Wollen Sie bestreiten, daß es in Ihren Schriften viele relativistische Passagen gibt? Wollen Sie wirklich behaupten, daß all jene, die sich durch Ihre Bücher ermutigt fühlten – und Sie haben ja gerade selbst gesagt, daß es solche Leute gibt –, daß all diese Leute Sie falsch verstanden haben und nun ins Gefängnis des westlichen Rationalismus zurückkehren sollten?

B: Nein, ganz und gar nicht! Das Problem liegt darin, daß das

Wort »Relativismus« wie viele andere philosophische Begriffe mehrdeutig ist. Ich gebe sogar zu, in mancherlei Hinsicht ein glühender Relativist zu sein, doch in anderen Punkten bin ich ganz gewiß keiner. Außerdem habe ich meine Meinung geändert.

A: Seit wann?

B: Seit ich *Irrwege der Vernunft* geschrieben habe. Und das ist ein weiterer Grund, warum ich es ziemlich schwer finde, auf die kritischen Essays zu antworten, die Sie da mit sich herumtragen. Jene Autoren, die kapiert haben, was ich wollte, richten sich an den Paul Feyerabend des Jahres 1975 oder 1978 oder allerhöchstens 1987. Aber jetzt haben wir September 1990! Da hat sich vieles geändert, mithin auch meine Ansichten.

A: Inwiefern?

B: Ich habe zum Beispiel Philosophen kritisiert, die aus der Ferne über Dinge wie Wissenschaft, praktische Vernunft oder nichtwestliche Traditionen nachgedacht haben – alles Gegenstände, die eine enge Beteiligung und Verwicklung erfordern, damit man sie verstehen kann, und die viel zu komplex sind, als daß man sie in wenigen Schlagworten zusammenfassen könnte. Und doch habe ich selbst auch genau das getan, als ich vorgeschlagen habe, alle Traditionen müßten gleiche Rechte und gleichen Zugang zur Macht bekommen.

A: Ich habe gemerkt, daß Sie in *Irrwege der Vernunft* diesen Vorschlag auf »Gesellschaften, die Freiheit und Demokratie zur Grundlage haben«, beschränken und hinzufügen ... (*er zieht ein weiteres Buch aus seinem Stapel hervor, sucht eine Zeitlang darin herum und liest dann vor*) ... und hinzufügen: »Ich befürworte keinesfalls den Export von ›Freiheit‹

in Länder, die auch ohne sie auskommen und deren Bewohner keine Neigung haben, ihre Lebensweise zu verändern.« Auch an anderer Stelle in Ihrem Buch finden sich ähnliche Einschränkungen. Auch scheinen Sie die Ausbreitung [von Traditionen] nicht mehr zu favorisieren, obwohl ich mir über deren neue Rolle nicht ganz im klaren bin. Sie kommen darauf zu sprechen ...

B: ... aber ich verzichte doch einfach nur auf die Forderung, daß die Leute, also auch die Wissenschaftler, bei ihren Versuchen, die Welt zu verstehen, diesen Weg einschlagen sollten. Wer bin ich denn, daß ich mich als Gesetzgeber gegenüber anderen Leuten aufspiele? Meine Aussage lautet vielmehr, daß keine Idee jemals vollkommen besiegt ist und daß selbst Ansichten, auf denen alle mit Füßen herumtrampeln, ein triumphales Comeback erleben können – *vorausgesetzt*, daß sich genug Leute dafür einsetzen ...

A: Sogar Aristoteles?

B: Gerade Aristoteles! Lesen Sie doch Stent oder Prigogine oder David Bohm! Andererseits gebe ich gerne zu, daß die meisten Leute vernünftigerweise den gegenwärtigen Reichtum zukünftigen Wundern vorziehen. Und das bedeutet natürlich, daß die »Tatsachen«, »Gesetze«, »Prinzipien« der Wissenschaft oder auch eines jeden Erkenntnissystems das Ergebnis praktischer Entscheidungen sind – oder auch einfach einer bestimmten *Lebens*form, jedenfalls *nicht* allein theoretischer Einsichten.

A: Und dabei hat ein Philosoph nicht mitzureden?

B: In einer Demokratie kann jeder mitreden, auch wenn man nicht jedem Gehör schenken wird. Viele Philosophen haben sich von den Einzelheiten wissenschaftlicher Forschung oder politischer Handlungen so weit entfernt, daß ihr Rat schon zur Farce gerät. Mein eigener Vorschlag, die Traditionen unberührt zu lassen, ist da ein bestens geeignetes Beispiel. Und ich verstehe jetzt auch, wie ich in diese Falle tappen konnte. Traditionen mit militärischer, wirtschaftlicher oder offenbarer spiritueller Macht haben in der Vergangenheit ihre schwächeren Widersacher oft überwältigt. Meistens, aber nicht immer, waren die Konsequenzen katastrophal. Doch anstatt nun die katastrophalen Fälle zu analysieren und zu kritisieren und nach Mitteln zu suchen, um solche Fälle in Zukunft verhindern zu können, das heißt, anstatt mich an die Einzelheiten zu halten, habe ich ein *allgemeines* Prinzip aufgestellt: Hände weg von den Traditionen! Das war nicht nur sinnlos, sondern äußerst dumm, denn Traditionen versuchen per se, über ihre Grenzen hinaus zu wirken – und sie müssen es sogar, wenn sie überleben wollen.

A: Aber es gibt doch isolierte Eingeborenenstämme! Erst kürzlich wurde einer dieser Stämme im brasilianischen Urwald entdeckt!

B : Stimmt. Aber nicht alle Stämme oder Kulturen sind isoliert, und doch habe ich sie so behandelt, als wären sie's und als wäre es eine gute Sache, ihre nicht vorhandene Reinheit zu bewahren. Auf genau diese Idiotien hat Margherita von Brentano hingewiesen.

A: Heißt das, daß Sie von jetzt an friedlich schweigen wollen?

B : Wollen Sie mich auf den Arm nehmen? Es gibt doch noch soviel zu sagen!

A: Sie geben also zu, daß die Philosophie einen Beitrag zu leisten hat!

B : Nein, nein, nein, nein, nein. *Ich* habe noch eine Menge Dinge zu sagen, ich, Paul Feyerabend, dieser Mensch, der jetzt vor Ihnen sitzt und der keinen anderen Menschen vertritt außer sich selbst!

A: Aber Sie sind doch ...

B: ... ein Philosoph? Ich dachte, diesen Fehlschluß hätten wir schon beseitigt.

A: Aber warum sollte Ihnen denn dann irgend jemand zuhören?

B: Warum sollte überhaupt irgend jemand einem anderen zuhören? Sie scheinen ja zu glauben, daß Wörter nur dann Substanz haben, wenn sie aus einem Berufsstand heraus kommen, und daß jemand überhaupt nur als Vertreter eines Klubs reden kann.

A *(resigniert)*: Ist ja schon gut, ist ja schon gut – wenn Sie unbedingt Ihre Spielchen treiben müssen ...

B: Das ist kein »Spielchen«. »Philosoph sein« heißt entweder, als Mitglied eines Klubs an die Dinge heranzugehen, oder es ist eine leere Phrase, die sich auf jedes Individuum beziehen läßt, sogar auf einen Hund. Im zweiten Sinne will ich gern Philosoph sein, aber im ersten Sinn bin ich gewiß keiner. Außerdem – unser Thema erfordert ja überhaupt keine philosophische, soziologische oder historische Fachkenntnis. Selbst der nur sporadische Zeitungsleser oder Fernsehzuschauer weiß doch inzwischen, daß Traditionen kaum jemals genau definiert sind. Sie sind eingebettet in weltweite Informations-, Handels- und PR-Netze, seien sie politischer, philosophischer oder religiöser Art. Sie können über verschiedene geographische Regionen verstreut sein, von Nationen, Stämmen oder Gemeinschaften umgeben sein, die sie bedrohen, die sie zu überzeugen suchen oder ihnen verführerische Vorteile zu bieten haben; oft beherbergen Traditionen Reformer, die die Vergangenheit ablehnen, und Konservative, die sich Neuerungen in den Weg stellen. Die Situation im China des 18. und 19. Jahrhunderts zeigt sehr deutlich, wie verschiedene Traditionen verschmelzen können, und illustriert außerdem den Widerstand, den dieser Prozeß hervorruft.

A: Über Traditionen als separate Einheiten zu sprechen, ist also nicht länger sinnvoll ...

B: Ja, es sieht fast so aus – bis Sie dann merken, daß es durchaus Leute gibt, die Sitten, Ideen, Sprachen und Verhaltensmuster, die eine gewisse Kohärenz aufweisen, nicht nur bewahren oder wiederbeleben wollen, sondern die sogar versuchen, diese zusammenhängende Einheit aus ihrer Umgebung herauszulösen. Ungarn und Deutsche in Rumänien, Türken in Bulgarien, Muslime überall, konservative Juden, Litauer, Albaner, die slawische Minderheit in Österreich, die Indianer in den USA – sie alle sind solche Beispiele. Hier errichten die Akteure selbst Traditionen, hier bestimmen sie deren Grenzen. Mein Vorschlag wäre nun, daß Traditionen, die auf diese Weise entstanden sind, *als in sich wertvoll gelten sollten.* Dieser Vorschlag erhebt keinen Absolutheitsanspruch – er ist kein »Prinzip« –, und er ist auch nicht das letzte Wort zu diesem Thema. Bestimmte Ereignisse können ihn stärken, aber auch verdrängen. Selbst die besten Vorsätze können sterben – aber sie sollten zunächst einmal überhaupt da sein, und sie sollten so lange, wie es menschenmöglich ist, bewahrt werden.

A: Ich stimme Ihnen zu, daß man sich Fremden mit Umsicht und ohne vorgefaßte Ideen hinsichtlich dessen, was zum Menschen paßt und was nicht, nähern sollte. Neue Begegnungen sollten unsere Ideen über die Menschheit verändern können. Ich würde jedoch hinzufügen, daß man sich nicht nur von Ereignissen bestimmen lassen sollte, sondern daß man darüber auch nachdenken und dann seine Entscheidungen treffen sollte.

B: Als ich von »Ereignissen« sprach, habe ich dabei auch Gedanken, Gefühle und Entscheidungen mit gemeint. Aber ich will noch mehr, als Sie bisher zugestanden haben: Die Lebensweise der Fremden sollte nicht nur toleriert werden, vielmehr sollte man davon ausgehen, daß sie einen eigenen inneren Wert hat.

A: Sind Sie da nicht ziemlich unrealistisch? Wo sind denn die Leute, die auf diese seltene, menschenfreundliche Art und Weise handeln?

B: Im Augenblick denke ich in erster Linie an die Politiker, Wissenschaftler und Regierungsbeamten, die fremden Ländern »Entwicklungshilfe« geben. Sie besitzen Informationen über das gesamte Regierungssystem [des betreffenden Landes], sie wissen, wie diese Strukturen mit den örtlichen Gegebenheiten verbunden sind, was die Menschen davon halten, und sie haben die örtlichen Gewohnheiten, Sitten, Überzeugungen und anderes mehr studiert. Einige dieser Entwicklungsexperten haben – aufgrund einer Serie von Katastrophen und Mißerfolgen – erkannt, daß es nicht immer positive Konsequenzen hat, wenn man einer Bevölkerung mit eigenen materiellen und spirituellen Ressourcen westliche Modelle aufzwingt. Von hier ist es dann nur noch ein kleiner Schritt bis zur Anerkennung, daß Lebensweisen, die fremd und unwissenschaftlich anmuten, durchaus ihren inneren Wert haben können. Und diese Einsicht wird in meinem Vorschlag verallgemeinert ...

A: Ich denke, Sie sind gegen Verallgemeinerungen!

B: Aber diese hier basiert auf Fakten, scheint menschenfreundlich zu sein und wird dem Test eines Lebens mit oder in der Tradition unterworfen, die als in sich wertvoll beurteilt wird ...

A: ... und dieser Test könnte einige der Teilnehmer veranlassen, den Vorschlag fallenzulassen ...

B: ... und im weiteren Verlauf vielleicht sogar Gewalt anzuwenden. Und jetzt kommt mein zweiter Vorschlag: Eine solche Aktion ...

A: ... Sie meinen das Fallenlassen des ersten Vorschlags ...

B: ... ja ... und die Anwendung von Gewalt lassen sich nur rechtfertigen, wenn man sich alle Elemente dieser Begegnung in Erinnerung ruft, die Emotionen, Hoffnungen, Enttäuschungen und so weiter und so fort, und zwar möglichst detailliert. Oder, in allgemeinen Begriffen gesagt, die Ihnen ja anscheinend so am Herzen liegen: *Die einzige Rechtfertigung für ein vorübergehendes Fallenlassen des ersten Vorschlags sind die Erfahrungen, Gedanken und Einsichten, die aus einer engen, intensiven Begegnung resultieren.* Für mich macht es keinen Sinn, ja ist es sogar ausgesprochen inhuman, wenn man eine Bewegung, eine Kultur, eine Idee, ohne den Versuch unternommen zu haben, mit ihr zu leben, oder ohne detaillierte Berichte von Leuten vor Ort, aus der Distanz verurteilt oder sogar angreift.

A: Wollen Sie damit auch sagen, daß Sie dagegen sind, die Scheußlichkeiten der Nazizeit zu verurteilen?

B: Ja, dagegen bin ich, wenn die Verdammung sozusagen im luftleeren Raum erfolgt, nur auf der Grundlage oberflächlicher oder aufgeladener Fakten, und wenn man sie Leuten abverlangt, die keine emotionale Verbindung zu den Ereignissen und den Opfern haben. Eine »moralische Verdammung« dieser Art ist ein bedeutungsloser Fluch und die

Aufforderung, sie zu wiederholen, eine Zumutung und jede Aktion, die auf dieser Grundlage unternommen wird, ein Verbrechen. Viele sogenannte Erzieher im heutigen Deutschland merken das anscheinend nicht.

A: Auschwitz zu verdammen ist ein leerer Fluch?

B: Wenn die Worte keine Verbindung zu persönlichen Erlebnissen, Ängsten und Erwartungen haben – ja. Die Vergangenheit kann nicht besiegt, sie sollte nicht verurteilt werden – außer von denen, die bereit sind, sich ihr unmittelbar auszusetzen.

A: Aber das ist doch unmöglich ...

B: Für einen Philosophen oder einen »objektiven« Historiker schon. Aber ein Dichter, ein Romanschriftsteller, ein Filmemacher kann mit passendem Material die Atmosphäre nachbilden; er oder sie kann den Schrecken, die Grausamkeit, aber auch die Faszination der Zeit zu neuem Leben erwecken und so den Grund für eine echte moralische Entscheidung legen.

A: Die Faszination?

B: Ja, die Faszination. Warum sind denn Ihrer Meinung nach soviele Leute Hitler gefolgt? Waren das alles Idioten oder Teufel? Wenn das so wäre, gäbe es überhaupt keine moralischen Probleme. Idiotie und das absolut Böse liegen jenseits der Domäne menschlicher Moral. Nein, ganz abgesehen von der Faszination des Bösen an sich, die sich meiner Meinung nach aber nur in kleinen Gruppen kultivieren läßt, muß es doch auch irgend etwas Positives gegeben haben, von dem die Leute sich angesprochen gefühlt haben. Die Vergangenheit kann nicht überwunden werden, wenn nicht auch dieses positive Element identifiziert wird.

A: Aber dann könnte der Faschismus ja wiederkehren ...

B : Ja, das ist das Risiko, welches sich immer dann ergibt, wenn den Menschen Handlungsfreiheit zugebilligt wird. Auf diesem Gebiet indes, bei der Vorbereitung von Entscheidungen, sind die Künste der Philosophie turmhoch überlegen – und warum? Weil die Künste, recht verstanden, versuchen, die emotionale, ideologische und religiöse Einbettung spezieller Ereignisse zu schaffen oder nachzuschaffen ...

A: Nun, beim Theater von heute scheint das aber nicht der Fall zu sein ...

B : Richtig. Brecht war ein Genie und ein großer Dichter. Doch hat er dem Theater einen Bärendienst erwiesen, als er ein Konzept vertrat, das aus der Bühne ein soziologisches Laboratorium macht. Die Soziologie ist schon schlimm genug. Sie schneidet die persönlichen Elemente heraus und ersetzt sie durch leere Schemata. Das Theater nun aber auf dieselbe Weise zu kastrieren, war ein Verbrechen. Nein, was ich mir wünsche, ist ein Theater, das den Zuschauer wieder in die Handlung hineinzieht und das ihn von einem objektiven Kritiker in einen engagierten Teilnehmer verwandelt.

A: Sie wollen also, daß die Leute wieder genauso verwirrt werden wie jene, die die Nazis damals unterstützt haben?

B : Genau. Und nicht nur das – ich möchte auch, daß sie die Angst der Opfer erleben ...

A: ... aber das ist doch unmöglich!

B : Es ist unmöglich, Ihnen Angst um Menschen einzujagen, die Sie lieben?

A: Nein, das ist ganz einfach. Ich habe jedesmal Angst, wenn meine Tochter auf Reisen geht. Wir leben in einer verrückten Zeit ...

B : ... und genau hier können wir ansetzen. Natürlich wird die nur imaginierte Angst um unsere Lieben niemals dasselbe sein wie die tatsächliche Angst der Opfer des Naziterrors. Trotzdem sind die mittels dieser Analogie hervorgerufenen Schattenbilder der Vergangenheit wesentlich substantieller als die durch ein abstraktes ethisches Argument übermittelten Gedanken. Argumente besitzen Macht – das gebe ich gerne zu –, aber sie beeindrucken nur eine kleine Minderheit, und sie richten sich an deren Gehirn, nicht an ihr Herz; es sei denn, wir finden Wege, Vernunft und Gefühl zu verbinden ...

A: Gut, aber was hat all das nun mit Ihrem Relativismus zu tun?

B: Mein Relativismus? Meine Güte, können Sie denn an gar nichts anderes mehr denken? Haben Sie denn nur diese eine Frage? Ich bemühe mich hier, außerordentliche und grausame Ereignisse zu verstehen; ich versuche, einen Weg zu finden, wie ich dieses Verständnis mit anderen teilen kann, und Sie fragen mich, wie sich das, was ich gesagt habe, klassifizieren läßt! Eine typische Philosophenfrage! Unsensibel, irrelevant, hohl. Und dann wundern Sie sich, wenn ich die Philosophie nur schwer ausstehen kann! Ein sinnloses Unternehmen ...

A: ... um das Sie sich aber selbst oft genug bemüht haben.

B: Ja, da haben Sie recht, und ich möchte mich für meinen Zornesausbruch entschuldigen, der eigentlich mehr gegen mich selbst als gegen Sie gerichtet war. Also, meine Antwort auf Ihre Frage: Ich lehne heute alle philosophischen Doktrinen ab, einschließlich eines philosophischen Relativismus, der eine Definition oder eine Theorie der Wahrheit und/oder der Wirklichkeit anbietet.

A: Aber genau einen solchen Relativismus haben Sie doch in

Irrwege der Vernunft verteidigt, da haben Sie doch Protagoras verteidigt!

B : Nur um zu zeigen, daß selbst diese eher einfältige Form des Relativismus viel weiter reicht, als ihre Gegner einräumen.

A: Ihrer Meinung nach war Protagoras also einfältig?

B : Nein, überhaupt nicht. Er war der einzige Philosoph, bei dem der philosophische Relativismus funktioniert hat. Das habe ich im vierten und fünften Abschnitt des ersten Kapitels von *Irrwege der Vernunft* [S. 66-82; in *Farewell to Reason*: Kap. 1, Abschnitt 4] näher erläutert.

A: Erstaunlich. Sie erinnern sich also an alle Abschnitte des Buches im einzelnen?

B : Nein, aber dieser hier ist mir irgendwie fest im Gedächtnis geblieben. Und doch hat auch die philosophische Version des Relativismus, wie alle philosophischen Doktrinen, ernsthafte Mängel. In gewisser Weise ist sie nur eine Chimäre, keine reale Sache.

A: Wie meinen Sie das?

B : Nun, ich will's mal so erklären. Hooker versucht hier, in seinem Aufsatz, »den Begriff der Vernunft zu retheoretisieren«. Genau diesen Ausdruck benutzt er. Die alten Theorien der Vernunft waren zu einfach, deshalb müssen neue an ihre Stelle treten. Nun ist die Vernunft aber sowohl Objekt (zum Beispiel als Gegenstand einer Untersuchung) als auch handelndes Subjekt, ein Agens. Das Wesen des *Objekts* »Vernunft« wird klar, nachdem das *Agens* »Vernunft« gehandelt hat. Eine Theorie der Vernunft schränkt, wenn man sie ernst nimmt, die Handlungsmöglichkeiten der Vernunft ein und macht sie zu einer spiegelbildlichen Entsprechung der jeweiligen Entwicklungsstufe der Theorie. Doch was ist, wenn die Vernunft sich nicht konform verhält?

Dann muß die Theorie, sagt der Theoretiker, angepaßt werden. Dagegen spricht anscheinend nichts – alle Theorien werden ständig an neue Fakten angepaßt. In unserem vorliegenden Fall aber geschieht die Anpassung bei jedem Wandel der Geschichte (history), und das heißt, wir haben es mit einer Theorie zu tun, die nur aus Wörtern besteht; was wir tatsächlich vor uns haben, ist eine Entwicklung, eine erzählende Geschichte (story). Protagoras hat es nichts ausgemacht, seine Philosophie in eine Geschichte aufzulösen – ja, er sagt uns sogar ganz genau, wie das geht. Doch jene modernen Philosophen, die Theorien entwickeln wollen, bemühen sich, die beiden Kategorien auseinanderzuhalten – mit dem Ergebnis, daß eine der beiden, nämlich die Kategorie »Theorie«, zur leeren Hülse verkommt: *Es kann keine Theorie der Vernunft geben.*

A : Dieses Argument kann unmöglich korrekt sein! Wenn man es auf die Erkenntnis und auf die Wirklichkeit anwendet, könnte man genausogut sagen, daß es keine Theorie der Erkenntnis und keine Theorie der Wirklichkeit geben kann.

B : Aber genau das sage ich ja!

A : Jetzt wird es aber absurd! Es gibt doch zahlreiche Erkenntnistheorien. Manche davon sind besser, andere zugegebenermaßen nicht ganz so gut. Und wir haben doch die ganze Wissenschaft, um die Wirklichkeit theoretisch zu behandeln.

B : Ich gebe ja gern zu, daß es Geschichten (stories) gibt, die den Anspruch erheben, Erkenntnistheorien zu sein. Doch statt den Vorgang des Erkenntnisgewinns von außen zu beschreiben, wie das jede gute Theorie doch angeblich tun soll, sind sie selbst auch Teil dieses Prozesses und in ihrer

Reichweite eher begrenzt. Und was die »ganze Wissenschaft« anbetrifft, da muß ich Sie leider enttäuschen. Sie scheinen nämlich anzunehmen, daß die Wissenschaft ein einheitliches Ganzes ist, das nur mit einer einzigen Stimme spricht. Doch nichts könnte weiter von der Wahrheit entfernt sein. Wir haben es mit einer großen Anzahl verschiedener Ansätze zu tun, deren überall verstreute Ergebnisse miteinander im Konflikt liegen. Wo ist etwa das Verbindungsglied, das die Elastizitätstheorie mit der Hochenergiephysik verbindet? Es *gibt* kein solches Verbindungsglied, und manche Wissenschaftler, beispielsweise Professor Truesdell von der Johns Hopkins University, bestreiten sogar, daß es solche Verbindungsglieder geben *sollte*. Die klassische Physik wird normalerweise als Grenzfall der Quantenmechanik präsentiert – weshalb es anscheinend eine Art Einheit zwischen beiden gibt. Dabei ist dies nur eine Karikatur der tatsächlichen Situation, die viel komplexer und absolut nicht klar ist. Ja, die Quantentheorie selbst scheint der Idee einer unabhängig vom menschlichen Denken und Handeln existierenden Realität zu widersprechen.

A: Aber wie erklären Sie dann den Erfolg der Wissenschaften?

B: Das ist eine ausgezeichnete Frage. Nur bereitet sie leider Ihnen mehr Probleme als mir. Sie wollen die Frage beantworten, indem Sie sagen: Es gibt eine Realität, die Schritt für Schritt entdeckt wird. Doch mein obiges Argument und die Schwierigkeiten der Quantentheorie zeigen, daß diese Antwort nicht richtig sein kann.

A: Einen Moment mal – wie wenden Sie denn Ihr Vernunft-Argument auf die Realität an?

B: Die Realität ist wie die Vernunft Forschungsgegenstand, also Objekt, gleichzeitig aber auch ein Agens der Forschung, also handelndes Subjekt.

A: Wie soll das denn gehen? Wie kann denn die Realität ein Agens der Forschung sein?

B: Nun, welches sind denn die Elemente der Forschung? Menschen, Gruppen von Menschen, Instrumente und so weiter – und die sind doch alle real, nicht wahr? Oder stellen Sie sich die Sache so vor, daß die Menschen mit ihren Ideen wie die Götter über einer Realität schweben, an der sie keinen Anteil haben? Jeder Molekularbiologe würde sich gegen eine solche Ansicht wehren. Wenn Sie nun aber diese Prämissen akzeptieren, dann ist die Schlußfolgerung zwingend, wie auch im Fall der Vernunft. Natürlich müssen wir den Erfolg der Wissenschaften dann immer noch erklären – aber die Erklärung ist jetzt wesentlich komplexer als ein einfacher Verweis auf eine stabile Realität. Da kann uns das Stereotyp »Theorie« nicht mehr helfen, wohl aber möglicherweise das Stereotyp »Geschichte« (story).

A: Und unter »Geschichte« verstehen Sie eine historische Darstellung?

B: Ja – wenn auch keine »historische Darstellung« im Sinne jener Historiker, die besonders an Statistiken und Strukturen interessiert sind.

A: Sie lehnen also eine wissenschaftliche Geschichtsschreibung ab?

B: Nein, als Fußnote ist sie durchaus in Ordnung, aber sie kommt eben mit den individuellen Ereignissen nicht zurecht. Im Bereich solcher Ereignisse kann es einfach keine Theorie geben.

A: Hypostasieren Sie denn keine individuellen Ereignisse?

B: Überhaupt nicht. Ich gehe als Empiriker an die Geschichte (history) heran, und ich finde, daß die empirisch identifizierbaren Handlungen von Individuen noch immer selbst das detaillierteste theoretische Schema durchbrechen – es sei denn, das Schema bleibt so vage und unbestimmt wie die von Prigogine, Varela, Jantsch, Thom und anderen aufgestellten Schemata ...

A: Aber gerade das sind doch ausgesprochen hochentwickelte Theorien ...

B : Sicher, aber ihre Anwendung auf die Geschichte erfolgt immer erst, *nachdem* die Ereignisse geschehen sind, und das heißt nichts anderes, als daß auch sie im Grunde Geschichten erzählen – Geschichten allerdings, die mit unnützem und irreführendem Jargon befrachtet sind.

A: Sie benutzen also eine Theorie, den Empirismus, um eine andere damit zu schlagen.

B : Der Empirismus ist allerdings nicht nur eine Theorie, sondern auch eine Praxis, und außerdem bin ich hier doch in eine Debatte verwickelt, nicht in eine Suche nach den Grundlagen. Und all dies heißt natürlich auch, daß der Relativismus ebensosehr eine Chimäre ist wie sein zänkischer Zwillingsbruder, der Absolutismus oder Objektivismus.

A: Wie bitte, Objektivismus und Relativismus sind »zänkische Zwillingsbrüder«?

B : Ja. Hans Peter Duerr hat ihr gemeinsames Erbe bereits identifiziert: Beide gehen nämlich von der Voraussetzung aus, daß Dinge wie Wissenschaft, Magie oder auch »das Weltbild der Dogon« genau definiert sind und immer in den durch die Definition gesetzten Grenzen bleiben. Dann *verleihen* die Objektivisten den Gesetzen, die innerhalb der Grenzen des bevorzugten Gegenstandes gelten, *uni-*

verselle Bedeutung, während die Relativisten darauf bestehen, daß die Gesetze innerhalb derselben Grenzen *nur begrenzte Gültigkeit* besitzen. Doch wie ich schon in *Wider den Methodenzwang* und dann nochmals in *Erkenntnis für freie Menschen* [Frankfurt/M. 1979; stark überarbeitete und gekürzte Fassung von *Science in a Free Society*, London 1978] zu zeigen versucht habe, gibt es keine Definition von Wissenschaft, die alle möglichen Entwicklungen abdeckt, und es gibt auch keine Form des Lebens, die nicht in der Lage wäre, radikal neue Situationen zu absorbieren. Begriffe, besonders die »grundlegenden« Begriffe von Weltbildern sind niemals vollkommen festgelegt; sie sind unzureichend definiert, mehrdeutig, sie fluktuieren zwischen »inkommensurablen« Interpretationen hin und her – und das muß auch so sein, sonst wäre ja (begrifflicher) Wandel unmöglich. So gehen in gewisser Weise die Fehler sowohl des philosophischen Relativismus als auch des Objektivismus auf Platons Idee zurück, daß Begriffe stabil und von sich aus klar seien und daß der Weg der Erkenntnis von den Illusionen hin zur Einsicht in diese Klarheit führe. Jedenfalls stimme ich jetzt Munévar zu, daß die Wissenschaft ihre Ausnahmerolle im Westen behalten sollte, weil sie der dortigen Situation am besten angepaßt ist: Der Westen ist mit den Exkrementen der Wissenschaft bedeckt, also braucht er auch Wissenschaftler, um wieder Ordnung zu schaffen. Doch ich möchte hinzufügen, daß es noch andere Möglichkeiten gibt, in dieser Welt zu leben. Die Menschen haben in vielen verschiedenen Formen auf die Welt eingewirkt – teilweise rein physisch durch tatsächliche Eingriffe, teilweise begrifflich durch die Entwicklung von Sprachen und durch Schlußfolgerungen, die sie in ihren Sprachen ziehen. Manche ihrer Aktionen fanden einen Widerhall, andere kamen nie recht in Gang. Für mich bedeutet das, daß es eine Realität gibt und daß diese nachgiebiger und formbarer ist, als von den meisten Objektivisten angenommen wird. Verschiedene Formen des Lebens und der Erkenntnis sind möglich, weil die Realität sie zuläßt oder sogar fördert, und nicht etwa deshalb, weil »Wahrheit« und »Wirklichkeit« relative Begriffe sind.

A: Mir fällt gerade auf, daß Ihre Ansichten viele Gemeinsamkeiten zum Dekonstruktivismus aufweisen. Sehen Sie das auch so?

B: Nun, ich muß zunächst gestehen, daß es mir große Schwierigkeiten bereitet, die Schriften der Dekonstruktivisten zu verstehen. Was sie anscheinend sagen, ist, daß es unmöglich sei, etwas mit Hilfe eines Textes ein für allemal festzulegen. Da kann ich nur aus vollem Herzen zustimmen. Auf den ersten Blick scheint ein Text – beispielsweise eine Annonce, in der Hunde zum Verkauf angeboten werden – wunderbar eindeutig zu sein; aber sobald man sich ein paar Fragen dazu stellt, löst sich diese Eindeutigkeit in Wohlgefallen auf. Die Dekonstruktivisten sagen wohl auch, daß viele Texte in sich einen Mechanismus enthalten, der zu ihrer Auflösung von innen heraus führt. Auch dem kann ich zustimmen. Wenn man an die Interpretation eines wissenschaftlichen Artikels, der einen neuen Lösungsansatz vorschlägt, mit festen, enggefaßten Ideen im Kopf herangeht, dann kann nur kompletter Unsinn dabei herauskommen. Sie müssen diesem Artikel sozusagen gestatten, Sie an die Hand zu nehmen und zu führen. Und genau das sagen auch die »Neuen Empiriker« in der Philosophie der Wissenschaft, die abstrakte oder »realistische« Interpretationen wissenschaftlicher Aussagen ablehnen. Drittens scheinen die Dekonstruktivisten zu sagen, daß ganz wörtlich gelesene philosophische Texte sich oft als Nonsens erweisen. John Austin in Oxford, dessen Vorlesungen ich gehört habe, war ein Meister in dieser Methode der »Demaskierung« scheinbar tiefsinniger philosophischer Ideen. Andererseits habe ich nicht ganz soviel Angst wie mancher andere vor den Gefahren, selbst dekonstruiert zu werden. Deshalb habe ich eben auch von einer Realität gesprochen, die uns unbekannt bleibt und sich doch, wenn wir in geeigneter Form an sie herangehen, auf verschiedene Arten manifestiert. Das ist natürlich keine Theorie im alten Sinn, sondern eher ein Bild; doch ich glaube, es ist nicht vollkommen unverständlich und regt unser Denken in gewisser Weise an.

A: Darf ich einen Vorschlag machen?

B: Und der wäre?

A: Warum bezeichnen Sie diese neue Form des Relativismus nicht als »kosmologischen« Relativismus und den von Ihnen verworfenen als »semantischen« Relativismus?

B: Nun, warum benennen *Sie* diese Formen des Relativismus nicht so? *Sie* sind doch derjenige, der an »Positionen« und an die damit verbundenen großen Worte glaubt! – Aber weiter im Text: Wir haben niemals einen Gesamtüberblick über die Realität, nicht einmal annähernd, denn das würde bedeuten, daß wir alles, was möglich ist, bereits versucht haben, daß wir also die Geschichte der Welt bereits kennen, ehe die Welt an ihr Ende gekommen ist.

A: Das klingt ja wie Pseudo-Dionysius oder Meister Eckhart oder wie ähnlich mystische religiöse Ansichten.

B: Aber auch wie gute Physik!

A: Sie wollen wohl auf die Komplementarität [den Welle-Teilchen-Dualismus in der Quantentheorie; Anm. d. Übers.] hinaus?

B : Ja.

A: Also, ich glaube, da gibt es bessere und präzisere Ansichten.

B : Präzisere vielleicht, aber keine besseren. Das Interessante ist nämlich, daß die Wissenschaftler bei ihren Versuchen, die Komplementarität [von Teilchen und Welle] zu verstehen, Experimente entwickelt und durchgeführt haben, die diese Sicht sowohl präzisiert als auch ihre inhärente Korrektheit gezeigt haben.

A: Können Sie diese Experimente beschreiben?

B : Nun, viele Verteidiger der »verborgenen Variablen« [die wie Einstein, und anders als Bohr, der Ansicht waren, unerklärliche Quantenphänomene seien nicht prinzipiell menschlicher Erkenntnis entzogen, sondern nur deshalb unerklärlich, weil die Forscher noch nicht alle verborgenen Variablen entdeckt hätten; Anm. d. Übers.] äußerten die Vermutung, ein Experiment, das extrem schnell von, sagen wir, einem Teilchenexperiment in ein Wellenexperiment umschlagen könnte, wäre vielleicht in der Lage, den Übergang vom einen Zustand in den anderen dingfest zu machen und so Effekte aufzuspüren, die mit der [Bohrschen Interpretation der] Quantenmechanik unvereinbar wären. Man unternahm höchst ausgeklügelte Experimente mit Photonen und Neutronen, bei denen es darum ging, die »Wahlmöglichkeit« dieser Teilchen, sich als Teilchen oder Welle zu manifestieren, so lange hinauszuzögern, bis überhaupt keine Zeit mehr für diese »Entscheidung« zur Verfügung stand. Doch man konnte die gesuchten Effekte nicht entdecken. Folglich sind wir gezwungen, entweder Einwirkungsmöglichkeiten aus der Ferne oder aber die Komplementarität von Welle und Teilchen anzunehmen. Auch die Versuchsergebnisse im Zusammenhang mit den Bellschen Ungleichungen weisen in die gleiche Richtung.

A: Bei der Quantentheorie haben wir es freilich mit einer Theorie zu tun, die alle Aspekte zusammenbindet ...

B: Aber *nicht*, indem sie diese Aspekte zu einer zugrundeliegenden »Realität« und zu einer damit korrespondierenden realistischen Theorie in Beziehung setzt! Gleichwohl müssen wir eine solche Realität postulieren, wenn wir unsere Gewohnheit beibehalten wollen, unsere grundlegenden Begriffe darauf zu projizieren. Genauer habe ich das in meinem Artikel »Realism and the Historicity of Knowledge« erläutert, von dem eine frühere Fassung 1989 im *Journal of Philosophy* erschienen ist. Sie sehen also, es gibt eine Menge guter Gründe, warum die alten Debatten um *Wider den Methodenzwang* und die noch in den Anfängen steckende Debatte über *Irrwege der Vernunft* inzwischen schon völlig überholt sind.

A: Hat denn nicht Churchland [in seinem Beitrag zur Festschrift] sogar über den alten Diskussionshintergrund noch etwas Neues zu sagen?

B: Ja, da haben Sie recht, und ich bin Ihnen dankbar, daß Sie mich daran erinnern. So wie ich seinen Beitrag gelesen habe, stimmt er mit mir und dem, was ich in dem gerade genannten Aufsatz geschrieben habe, überein ...

A: ... dem Aufsatz im *Journal of Philosophy*?

B: Ja. Natürlich gibt es auch Differenzen. Churchland geht systematisch vor, während ich hauptsächlich Fallbeispiele anführe; er geht ins Detail, während meine Darstellung eher skizzenhaft bleibt; und er spricht über das Gehirn, während ich über die Welt rede. Nun sind aber die Welt und das Gehirn wirklich gar nicht so weit voneinander entfernt – die Welt ist eine Projektion des Gehirns, das wiederum Teil der Welt ist. So könnte man sagen, daß Churchland und ich uns mit demselben Problem auseinandersetzen, doch er behandelt es »von innen heraus«, während ich »von außen nach innen« voranschreite. Die »grundlegende Nichterkennbarkeit der Welt als Ganzes« ergibt nunmehr auch einen ausgezeichneten Sinn: Der Totalität Gehirn-Welt fehlen die Ressourcen, die sie benötigen würde, um sich selbst zu erkennen. Stimme ich also mit den Thesen überein, die Churchland aus meinen früheren Arbeiten ableitet? Ja, vollkommen (die Thesen 4 und 5 enthalten Qualifikationen, die ich selbst zuvor nicht gemacht habe, aber jetzt als wichtig erachte), allenfalls mit Ausnahme von These 2: Das Wesen des gesunden Menschenverstandes kann durch den Materialismus (in Churchlands Sinn) verdrängt und außer Kraft gesetzt werden, aber er ist deshalb noch nicht gleich *schlechter* (im objektiven Sinn) als der Materialismus. Was aber nun die anderen Autoren in Ihrem Bündel da angeht, so halte ich es für das beste, meine Anerkennung und meinen Dank ganz allgemein zum Ausdruck zu bringen und meine Ansichten von heute, plus/minus einen Monat, zu präsentieren.

A: Sie meinen damit doch wohl Ihre Philosophie.

B: Ja, meine »Philosophie«, wenn Sie denn partout nicht auf dieses verflixte Wort verzichten können – obwohl ich glaube, daß Professor Deloria, der mich schon vor langer Zeit gebeten hat, meine eigene Metaphysik zu entwickeln, jetzt vielleicht ein bißchen glücklicher ist.

A: Auch Professor Hooker wird dann glücklicher sein.

B : Warum?

A: Er schreibt *(er zitiert aus Hookers Manuskript)*, daß »vernünftige Menschen das Recht haben, eine positive Darstellung zu verlangen, die an die Stelle der abgelehnten treten kann«.

B : Vernünftige Menschen?

A: Vernünftige Menschen.

B : Sind Physiker »vernünftige Menschen«?

A: Wie meinen Sie das?

B : Nun, Hooker sagt doch anscheinend, daß ich zwar jede Menge Annahmen zurückgewiesen hätte, die ganzen Generationen von Philosophen lieb und teuer waren ...

A: ... Wissenschaftsphilosophen. Er sagt, zuerst hätten Sie Fakten abgelehnt, dann Methoden, und jetzt lehnen Sie auch noch die Vernunft ab ...

B : Und er möchte, daß ich all diese Monstren durch ein von mir geschaffenes Monstrum ersetze. Aber das ist doch eine absurde Forderung! Eine Welt ohne Monstren ist besser als eine Welt mit ihnen, und »vernünftige Menschen« werden doch wohl ihr Verschwinden feiern und hoffen, daß nie wieder etwas dergleichen auftauchen wird.

A: Sie meinen also, eine Welt ohne allgemeine philosophische Prinzipien sei besser als eine Welt mit solchen Prinzipien?

B : Ganz bestimmt! Denken Sie doch an mein obiges Argument: Es kann keine Theorie der Vernunft, der Erkenntnis und ähnlicher Größen geben. Und warum? Weil die Vernunft durch Handlungen konstituiert wird, die nicht vorhersehbar sind, es sei denn, der Handlungsspielraum wird durch totalitäre Maßnahmen beschränkt. Die »vernünftigen Menschen«, die Hooker anscheinend im Kopf hat, sind Denker, die vom Totalitarismus profitieren würden. Aber zu denen gehöre ich nicht. Und wenn Sie meinen abstrakten Argumenten nicht glauben, dann schauen Sie sich doch die Geschichte der Wissenschaft an: Die »vernünftigen Menschen«, die diese Geschichte wirklich geschaffen haben, haben ständig die Vorschriften verletzt, die andere »vernünftige Menschen« bei ihrem Versuch eingeführt haben, eine theoretische Darstellung der Wissenschaften zu geben.

A: Da können Sie soviel protestieren, wie Sie wollen, aber Sie haben doch gerade eben jene »positive Darstellung« gegeben oder, in Ihrer Terminologie, jenes »Monster« geschaffen, auf das Hooker gewartet hat ...

B : ... wobei es um eine Welt geht, die von keiner Theorie zu erfassen ist ...

A: Und die moderne Kosmologie?

B : Da bleiben die Götter Homers draußen, Christus und ...

A: ... alles Illusionen ...

B : Nein! Das waren Antworten, die das Wesen ganzer Zeitalter bestimmt haben – lesen Sie darüber doch in dem Aufsatz nach, den ich vor ein paar Minuten erwähnt habe! Die begrenzten Antworten auf die begrenzten Verfahren unserer modernen Materialisten erscheinen doch nur deshalb universal, weil den Alternativen die Unterstützung fehlt, insbesondere die finanzielle Unterstützung!

A: Sie müssen schon entschuldigen, aber jetzt bin ich wieder verwirrt – sind Sie denn nun ein Relativist? Oder haben Sie aufgehört, Relativist zu sein?

B : Nun, in *Wider den Methodenzwang* und dann in *Erkenntnis für freie Menschen* habe ich behauptet, die Wissenschaft sei eine Form der Erkenntnis unter anderen. Das kann mindestens zweierlei heißen. Erstens: Es gibt eine Realität, die viele Formen der Annäherung zuläßt, darunter auch die

Wissenschaft. Zweitens: Erkenntnis und Wahrheit sind relative Begriffe. In *Science in a Free Society* und in *Erkenntnis für freie Menschen* habe ich gelegentlich beide Versionen vermengt, in *Irrwege der Vernunft* habe ich die erste Version benutzt und die zweite zurückgewiesen. Das tue ich weiterhin und habe dafür auch meine Gründe genannt. Akzeptiert man aber die erste Version (die Sie »kosmologischen Relativismus« genannt haben), dann hat das praktische Konsequenzen. Wir müssen jetzt zum Beispiel fremde Kulturen erst einmal untersuchen, ehe wir versuchen, ihnen »wissenschaftliche« Lösungen aufzuzwingen. (Das entspricht übrigens meinem Vorschlag, alle Traditionen als in sich wertvoll zu betrachten.) Und beachten Sie bitte, ich sage nicht mehr, wie noch in meiner pluralistischen Phase, daß *um jeden Preis* unvertraute Bräuche, Sitten und Ansichten studiert und entwickelt werden sollten oder daß man sie wenigstens unverändert lassen sollte. Man sollte sie studieren, ja – aber nur, wenn sich Alternativen als unfruchtbar erweisen oder bevor man wissenschaftliche Verfahrensweisen in Gegenden einführt, die bislang auch ohne sie ganz gut zurechtgekommen sind. Verändert werden sollten sie [d.h. die fremden Kulturen], wenn ihre Untersuchung schwerwiegende Nachteile zutage fördert. An diesem Punkt dürfen sich meiner Meinung nach mächtige Eindringlinge dafür entscheiden, unhöflich zu werden und ihre eigenen Vorstellungen durchzusetzen. Beispiele für Situationen, in denen eine solche Vorgehensweise angezeigt erscheint, sind etwa Krankheiten, deren Wesen nicht so schnell wie erforderlich erklärt werden kann, oder ökologische Katastrophen (westliche Armeen könnten eines schönen Tages versuchen, das Niederbrennen tropischer Regenwälder zu verhindern, während andererseits Terroristen gegen die Umweltverschmutzung durch Fabriken in den USA vorgehen könnten: schließlich ist das Leben von Tieren, Bäumen und Kindern zu wertvoll, als daß man es den Zufällen einer demokratischen Debatte ausliefern dürfte). Meine Vorschläge schließen derartige Verfahrensweisen nicht aus – sie sind keine »Prinzipien«. Was sie hingegen ausschließen, ist jegliche Rechtfertigung auf der Grundlage »objektiver Moralgesetze«. Das letzte Wort hat ohnehin die Geschichte: Spätere Generationen werden mittels ihrer eigenen Einsichten Lob und Tadel verteilen, wie es ihnen richtig erscheint. All dies stimmt mit den inhärent pluralistischen Tendenzen in den relevanten Wissenschaften überein und mit der Idee der Komplementarität. Man könnte sogar sagen, daß jene Studenten der »Entwicklungshilfe«, die den Regierungen raten, erfolgreichen einheimischen Maßnahmen den Vorzug vor den fremden der westlichen Wissenschaft zu geben, hervorragende Wissenschaftler sind und daß ein kosmologischer Relativismus natürlicher Bestandteil einer undogmatischen Wissenschaft ist. Auch hier sind also meine Schriften durch praktische Veränderungen überholt worden, und auch hier begrüße ich diese Entwicklung, genauso wie ich alle Resultate konkreter Forschung begrüße.

A: *Alle* Resultate?

B: Nun, alle Resultate, die nicht wichtige menschliche Beziehungen gefährden. Darüber haben wir ja bereits gesprochen.

A: Aber wie wollen Sie diese Frage entscheiden? Wie kann überhaupt jemand diese Frage entscheiden?

B: Wie? Nun, ich persönlich werde diese Frage dem Zustand

der Reife oder Idiotie entsprechend entscheiden, in dem ich mich zum betreffenden Zeitpunkt gerade befinde. Wie denn sonst? Dasselbe gilt für die Menschen um mich herum. Ein Staat oder ein Land gründet seine Entscheidung auf die akzeptierten Gesetze. Auf Bürgerinitiativen, Abstimmungen etc. in Republiken und demokratischen Ländern, in weniger demokratischen Ländern auf den Versuch, Gehör beim König oder einem anderen Führer zu finden. Ein Bürger eines Landes, dessen Gesetze mit seinen persönlichen Überzeugungen im Konflikt liegen, kann eine ganze Menge verschiedener Dinge tun. Er kann emigrieren. Er kann bleiben, eine öffentliche Position bekleiden und versuchen zu retten, soviel er kann, ohne allzuviel Schaden anzurichten. Wenn ich meine Quellen richtig lese, ist das genau das, was Gustav Gründgens und Wilhelm Furtwängler in Deutschland getan haben – obwohl es da noch jede Menge offener Fragen gibt. Er kann versuchen, die Dinge auf friedliche Art und Weise zu ändern, wie es Studenten und Arbeiter in China versucht haben. Er kann Terrorist werden (Stauffenberg, der versuchte, Hitler zu töten, war ein Terrorist, wenn auch leider ein erfolgloser). Ihre Frage aber geht von der Annahme einer externen Autorität aus. »Wie wollen Sie diese Frage entscheiden?« heißt doch: »Wen wollen Sie fragen?«, »Welche Methode wollen Sie anwenden?« oder »Nach welchen Prinzipien werden Sie sich richten?« Nun gibt es natürlich Leute, die externe Autoritäten anerkennen. Doch ich gehöre nicht zu dieser Kategorie. Meine einzigen Autoritäten in solch schwierigen Fragen sind: mein sehr begrenzter Erfahrungsschatz und meine Liebe zu einzelnen Menschen, etwa zu meiner Frau, zu engen Freunden. Und meine einzige Richtschnur ist der

Wunsch, nichts geschehen zu lassen, was ihnen Schmerz und Sorge bereiten könnte ...

A: ... eine sehr subjektive und egozentrische Einstellung.

B: Richtig. Aber nur, wenn das alles wäre. Doch das ist nicht alles. Es ist nur ein Ausgangspunkt. Wenn meine Liebe zu diesen Menschen stark genug ist, wird sie in der Lage sein, jedermann einzuschließen – und in letzter Konsequenz sogar jedes Lebewesen.

A: Auch Hitler?

B: Natürlich auch Hitler. Das Problem mit Hitler liegt doch nicht in der Frage, wie ein Stein oder ein Vampir den Tod so vieler Menschen verursachen konnte, sondern wie ein menschliches Wesen, also jemand wie mein bester Freund, so etwas tun konnte. Lesen Sie die *Erinnerungen* von Albert Speer und Ingmar Bergmans Bemerkung, er habe Hitler nach einer Rede, die er als Austauschstudent in Deutschland gehört hatte, geliebt. Ein rein abstrakter Humanismus, der mit einer *Idee* beginnt und dann versucht, den Rest der Welt hineinzupressen, ist mir höchst suspekt. Auch die synthetischen, künstlichen Bekundungen des Abscheus, die die Vertreter einer solchen Idee von sich geben, kommen mir verdächtig vor. Eine Idee der Humanität, die nicht in gesunden persönlichen Beziehungen fest verwurzelt ist, bringt nur leere Rhetorik hervor, die sich ohne weiteres mit den gräßlichsten Taten verbinden läßt. Oder, wie ich in *Irrwege der Vernunft* geschrieben habe: »Viel Elend in unserer Welt, Kriege, Verwüstungen des menschlichen Leibes und der menschlichen Seele sind das Werk nicht von schlechten Menschen, sondern von Menschen, die ihre ganz persönlichen Wünsche und Neigungen objektiviert und dadurch unmenschlich gemacht haben.« Die Aktionen einiger muslimischer Fundamentalisten heutzutage und der Christen früherer Tage zeigen das ganz besonders deutlich.

A: Aber ist Ihnen denn gar nicht klar, in welchem Ausmaß getötet wird, um persönliche und/oder Stammesbeziehungen aufrechtzuerhalten? Die Liebe zur einen Person bedeutet doch oft auch Haß auf eine andere, die die geliebte Person bedroht oder zu bedrohen scheint ...

B: Dabei stellt die unmittelbare Gefahr kein Problem dar – ich würde bestimmt töten, um meine Freunde vor einer *unmittelbaren* und *realen* Bedrohung ihres Lebens oder Wohlergehens zu beschützen. Das Problem liegt eher bei den nur *vermuteten* Gefahren, und da zeigt sich, daß die Liebe zu einer speziellen Person nur ein Anfang ist, aber nicht genügt; sie sollte ausgeweitet werden, und zwar in vernünftiger Weise.

A: Eine Verbindung von Liebe und Logik?

B: Ja, so ungefähr.

A: Ich weiß nicht, wie ich das sagen soll, aber seit Sie Ihre eher aggressiv relativistischen Arbeiten geschrieben haben, sind Sie doch einen ganz schön weiten Weg gegangen.

B: Es ist ja auch kein Vergnügen, Relativist zu sein, wenn heute relativistische Slogans schon auf jeder Universitätstoilette zu finden sind ... *(Er erhebt sich.)* Ja, es ist wohl Zeit, nach Hause zu gehen; heute abend kommt im französischen Fernsehen *Anatomie eines Mordes*, und den Film möchte ich unbedingt sehen.

A: Können wir nicht noch einen Augenblick warten? Ich habe nämlich meiner Assistentin gesagt, ich würde in diesem Waldstück nach Ihnen Ausschau halten und sie sollte weitere Papiere, die eventuell noch bei ihr eingehen, hierher bringen.

B : Ihre Assistentin? Sie haben eine Assistentin?
A *(errötend)*: Ja.
B : Wie heißt sie denn?
A *(noch mehr errötend)*: Peggy.
B : Peggy, ja – mit einem verheirateten Mann!
A: Nein, nein – nicht das, was Sie jetzt denken ...
B : Ist ja schon gut, ich glaub's Ihnen. Aber wie lange müssen wir denn noch warten?
A: Zehn Minuten, eine Viertelstunde ...
B : Naja, der Tag ist ohnehin ruiniert – da kommt's auf den letzten Rest auch nicht mehr an!
A: Sprechen Sie denn nicht gern über Ihre Arbeit?
B : Nein.
A: Wollen Sie nicht berühmt werden?
B : Bloß nicht; berühmt sein heißt, in ein Frankenstein-Monster der Phantasie eines anderen verwandelt zu werden, und das widert mich wirklich an. Lesen Sie dazu das letzte Kapitel von *Irrwege der Vernunft*. Und außerdem liebe ich mein Privatleben.
A: Naja, mich werden Sie bald los sein.
B *(setzt sich mit resigniertem Gesichtsausdruck)*: Warten auf Peggy. Da können wir ja wohl ewig warten ...

Im Wald kehren wieder Ruhe und Frieden ein.

Nachwort

Angeblich ist es zwar durchaus möglich, Gedanken oder Gedankensysteme locker und formlos in Briefen, Telefongesprächen oder bei Tisch zu erörtern, doch als angemessene Form für die Erläuterung ihrer Struktur, ihrer Implikationen und der Gründe für ihre Gültigkeit gilt der formelle Essay oder das Buch. Ein Essay (oder Buch) hat Anfang, Mitte und Schluß, Exposition, Entwicklung und Ergebnis. Danach ist der Gedanke (oder das System) dann so klar und wohldefiniert wie ein toter Schmetterling in einer Sammlung.

Doch wie bei den Schmetterlingen ist es auch bei den Gedanken: Sie existieren nicht nur, sondern sie entwickeln sich, treten in Beziehung zu anderen Gedanken und haben Auswirkungen. Die gesamte Geschichte der Physik war mit der – zuerst von Parmenides formulierten – Annahme verbunden, daß manche Dinge vom Wandel unberührt bleiben. Doch diese Annahme wurde schon bald transformiert: Die Paritätserhaltung ist bei weitem nicht dasselbe wie die Bewahrung des Seins. So kann das Ende eines Essays oder eines Buches zwar formuliert sein wie ein echter Abschluß; trotzdem handelt es sich nicht wirklich um ein Ende, sondern um einen Übergangspunkt, dem lediglich ungebührliches Gewicht verliehen wird. Wie in einer klassischen Tragödie werden Grenzen errichtet, wo gar keine existieren.

Und die modernen Historiker (der Naturwissenschaften

und anderer Disziplinen) sind noch auf weitere Fehler gestoßen: Die Ordnung im Aufbau eines wissenschaftlichen Artikels etwa hat nur wenig mit der Ordnung zu tun, in der die Erkenntnisse gewonnen wurden, und einzelne Elemente dieser nachträglichen Ordnung erweisen sich gar als Chimären. Das heißt nicht, daß die Autoren lügen. Denn wenn ihr Gedächtnis in eine bestimmte Struktur gezwungen wird, ändert es sich und stellt die benötigten (aber fiktiven) Informationen bereit.

Es gibt heute Gebiete, in denen der Essay, der Artikel über eigene Forschungen und ganz besonders das Lehrbuch viel von ihrem früheren Gewicht verloren haben. Das liegt ganz einfach daran, daß die große Zahl der Forscher und die unablässige Flut der Forschungsergebnisse den Wandel so sehr beschleunigt haben, daß ein Artikel oft bereits zum Zeitpunkt seiner Publikation überholt ist. Die Forschungsfront ist definiert durch Konferenzen, durch sehr schnell erscheinende kurze Forschungsberichte (vgl. die *Physical Review Letters*) und Faxgeräte. Artikel und Lehrbücher hinken nicht nur hinterher, sondern wären ohne diese gelegentlich recht formlose Art des Diskurses nicht einmal zu verstehen.

Manche Philosophen brüsten sich damit, daß sie noch hinter dem ausgefallensten Durcheinander klare Prinzipien erkennen können. Die »Welt der griechischen Vernunft (commonsense)« war (wenn es überhaupt je eine einzige derartige Welt gegeben hat) ziemlich kompliziert, als Parmenides seine Gedanken niederschrieb. Aber das hielt ihn nicht davon ab, zu postulieren und sogar zu beweisen, daß die Realität anders, einfach und vom Verstand zu besiegen sei. Die moderne Philosophie ist in dieser Hinsicht zwar weniger zuversichtlich, aber die Idee, daß es hinter komplexen Ereignissen klare Strukturen gebe, ist immer noch gegenwärtig. Entsprechend gehen manche Philosophen (aber auch Soziologen und sogar Dichter) an Texte heran; sie suchen nach Bestandteilen, die in eine logisch akzeptable Struktur einzupassen sind, und benutzen dann diese Struktur zur Beurteilung des Restes.

Doch dieser Versuch ist zum Scheitern verurteilt. Denn erstens gibt es keine Entsprechung in den Naturwissenschaften, die ja Wesentliches zu unserer Erkenntnis beitragen. Und zweitens gibt es keine Entsprechung im »Leben«. Das Leben erscheint relativ klar, solange alles Routine bleibt, das heißt, solange die Leute keine unangenehmen Fragen stellen, Texte auf herkömmliche Weise lesen und nicht fundamental herausgefordert werden. Doch wenn die Routine zusammenbricht, verflüchtigt sich die Klarheit, erheben seltsame Ideen, Wahrnehmungen und Gefühle ihr Haupt. Historiker, Dichter und Filmemacher haben solche Begebenheiten beschrieben. Etwa Pirandello, um nur ein Beispiel zu nennen. Vergleicht man mit diesen Werken streng logische Essays, dann wirken diese ungefähr so unwirklich wie Romane von Barbara Cartland. Es handelt sich um Fiktionen, aber um recht öde Exemplare dieser Gattung.

Platon dachte, der Graben zwischen Ideen und Leben lasse sich mit Hilfe des Dialogs überbrücken – nicht durch einen geschriebenen Dialog, der für ihn immer nur eine oberflächliche Darstellung vergangener Ereignisse sein konnte, sondern durch einen echten mündlichen Austausch zwischen Menschen mit unterschiedlichem Hintergrund. Ich stimme ihm darin zu, daß ein Dialog mehr enthüllt als ein Essay. Er kann Argumente liefern. Er kann die Auswirkungen von Argumenten auf Außenstehende oder auf Experten einer anderen Schule zeigen, er weist deutlich auf die ungeklärten Fragen hin, die ein Essay oder ein Buch eher zu verbergen trachtet; und was das wichtigste ist, er kann die chimärische Natur alles dessen demonstrieren, was wir für die gesichertesten Teile unseres Lebens halten. Der Nachteil besteht allerdings darin, daß all dies wieder nur auf dem Papier geschieht, nicht in Aktion mit lebendigen Menschen, vor unseren Augen. Erneut sind wir gehalten, auf irgendwie keimfreie Art aktiv zu werden; mit anderen Worten, wir erhalten wiederum nur die Einladung zum Mitdenken. Erneut sind wir weit entfernt von den echten Kämpfen, die zwischen Verstand, Wahrnehmung und Gefühl ausgetragen werden und die unser Leben wirklich gestalten, einschließlich der sogenannten »reinen« Erkenntnis. Bei den alten Griechen gab es eine Institution, die die erforderlichen Konfrontationen gewährleistete: das Drama. Platon wies das Drama zurück und leistete damit seinen Beitrag zur Logomanie, unter der weite Teile unserer Kultur leiden.

Die Dialoge dieses Bandes sind in mancherlei Hinsicht unvollkommen, besonders der zweite. Dabei handelt es sich um meine Antwort auf eine ganze Reihe verschiedener Beiträge, die zu meinen (Un-)Ehren in einer Festschrift versammelt wurden [Beyond Reason: Essays on the Philosophy of Paul Feyerabend, hrsg. von Gonzalo Munévar, Dordrecht/Boston/London 1991; Boston Studies in the Philosophy of Science, Bd. 132]. Die meisten dieser Artikel befassen sich mit einem Buch, das ich 1970 schrieb und 1975 veröffentlichte und das, soweit es mich betrifft, inzwischen längst passé ist. Ferner wird mir in diesen Beiträgen eine Lehre (über Erkenntnis und Methode) zugeschrieben, während ich doch gerade darauf beharrt habe (und immer noch beharre), daß weder die Erkenntnis noch die Realität auf allgemeine Weise und nach allgemeingültigen Maßstäben erfaßt oder geregelt werden kann, auch nicht nach einer Theorie (wissenschaftliche Theorien sind nicht, was sie nach Meinung realistisch orientierter Philosophen sein sollen). Im zweiten Dialog versuche ich, diese etwas komplizierte Situation näher zu erläutern, während sich im ersten die Situation in meinem Seminar in Berkeley spiegelt. Dr. Cole hat zwar kaum etwas mit mir gemein, aber einige der anderen Charaktere stellen, ohne daß sie namentlich zu identifizieren wären, einen Tribut an einige großartige Studenten dar, denen ich dort begegnet bin.

Philosophisch sind diese Dialoge nur in einem sehr allgemeinen, nicht fachspezifischen Sinn zu nennen. Man könnte ihn sogar als dekonstruktivistisch bezeichnen, obwohl mein Vorbild eher Nestroy (in der Interpretation durch Karl Kraus) als Derrida war. In einem Interview für die italienische Zeitschrift *Repubblica* wurde ich gefragt: »Was halten Sie von den gegenwärtigen Entwicklungen in Osteuropa, und was hat die Philosophie dazu zu sagen?« Meine Antwort, aus der meine Grundeinstellung vielleicht etwas deutlicher wird, lautete:

»Das sind zwei völlig verschiedene Fragen. Die erste richtet sich an ein lebendiges, mehr oder weniger adäquat denkendes menschliches Wesen mit Gefühlen, Vorurteilen, Dummheiten, nämlich an mich. Die zweite Frage dagegen richtet sich an etwas, was es gar nicht gibt, an ein abstraktes Monstrum namens ›Philosophie‹. Die Philosophie ist noch viel weniger als die Wissenschaft eine Einheit. Es gibt philosophische Schulen, die entweder wenig voneinander wissen oder aber sich gegenseitig bekämpfen und verachten. Einige dieser Schulen, beispielsweise der logische Empirismus, haben sich kaum je mit den Problemen beschäftigt, die jetzt akut werden; außerdem wären sie wahrscheinlich gar nicht so erbaut über die Zunahme religiöser Gefühle, die mit diesen Entwicklungen einherging (in einigen südamerikanischen Ländern steht die Religion an vorderster

Front des Befreiungskampfes). Andere, etwa die Hegelianer, verfügen über ein Repertoire langer Arien zur Beschreibung dramatischer Ereignisse, und sie werden jetzt zweifellos mit dem Absingen solcher Arien beginnen – mit welchem Ergebnis, kann niemand wissen. Nebenbei gesagt, gibt es nur selten eine weitgehende Übereinstimmung zwischen der Philosophie eines Menschen und seinem politischen Verhalten. Frege war ein scharfer Denker, wenn es um die Logik oder die Grundlagen der Mathematik ging – doch die aus seinen Tagebüchern hervorgehenden politischen Ansichten sind äußerst primitiv. Und genau da liegt das Problem: Ereignisse, wie sie sich gegenwärtig in Osteuropa und, weniger sichtbar, auch in anderen Teilen der Welt abspielen, und, ganz allgemein gesprochen, alle Ereignisse, an denen menschliche Wesen beteiligt sind, entziehen sich intellektuellen Schemata – jeder von uns ist *individuell* gefordert, zu reagieren und womöglich Farbe zu bekennen. Wenn der oder die Betreffende human, liebevoll und selbstlos ist, dann kann historisches, philosophisches, politisches, ja sogar physikalisches Wissen (Sacharow!) gewiß nichts schaden, denn er oder sie kann es dann auf humane Weise zur Geltung bringen. Ich sage bewußt ›kann‹, denn auch gute Menschen sind schon auf verderbliche Philosophien hereingefallen und haben ihre Taten auf gefährliche oder irreführende Art und Weise erläutert. Beispielsweise Czeslaw Milosz; seinen Fall habe ich in *Irrwege der Vernunft* diskutiert. Ein weiteres Beispiel ist Fang Lizhi, der chinesische Astrophysiker und Dissident. Er versucht, seinen Kampf für die Freiheit durch Bezugnahme auf universale Rechte zu begründen, die ›Rasse, Sprache, Religion und andere Überzeugungen ganz außer acht lassen‹. Das physikalische Universum, sagt er, gehorcht einem ›kosmologischen Prinzip‹ – jeder Ort und jede Richtung darin sind jedem anderen Ort und jeder anderen Richtung äquivalent; dasselbe, sagt er, sollte auch für das moralische Universum gelten. Aber da haben wir wieder die alte Universalisierungstendenz, und wir sehen hier ganz klar, wohin sie führt. Denn wenn wir die rassischen Züge eines Gesichtes ›ganz außer acht lassen‹, wenn es uns egal ist, welchen Rhythmus die Laute haben, die aus dem dazugehörigen Mund kommen, und wenn wir von den besonderen, kulturell determinierten Gesten, die das Sprechen begleiten, absehen, dann haben wir es nicht länger mit einem lebendigen Menschen zu tun, sondern mit einem Monstrum, und ein solches Monstrum ist tot, nicht frei. Außerdem, was hat das physikalische Universum mit der Moral zu tun? Nehmen wir einmal mit den Gnostikern an, daß dieses Universum ein Gefängnis ist; sollten wir unsere Moral dann an dessen Gefängniseigenschaften ausrichten? Zugegeben, die Gnosis ist heutzutage nicht populär – aber aufgrund neuerer Entdeckungen könnte es sein, daß auch das ›kosmologische Prinzip‹ vielleicht schon bald der Vergangenheit angehört. Sollten wir dann unsere Moral ändern, wenn dies geschieht? Nur selten treffen eine vernünftige Philosophie und ein vernünftiger Mensch zusammen, der dann auf humane Weise Gebrauch davon macht. Vaclav Havel ist ein solcher Fall, und bei ihm zeigt sich sehr deutlich, daß es nicht ›die Philosophie‹ ist, die durch die Entwicklung herausgefordert wird, sondern jeder einzelne Mensch. Denn, um es nochmals zu sagen, ›die Philosophie‹ als klar definiertes, homogenes Tätigkeitsfeld gibt es genausowenig, wie es ›die Wissenschaft‹ gibt. Es gibt die Wörter, es gibt sogar Begriffe, doch die menschliche Existenz zeigt keine Spuren jener Grenzziehungen, von denen die Begriffe ausgehen.«

Anmerkung zur Textgrundlage

Die englische Ausgabe *Three Dialogues*, Oxford/London 1995, enthält nur »Platonic Phantasies« und »Postscript«, nicht aber »Concluding Unphilosophical Walk in the Woods«, die überarbeitete Fassung des Schlußbeitrags »Concluding Unphilosophical Conversation« aus der Feyerabend-Festschrift *Beyond Reason: Essays on the Philosophy of Paul Feyerabend*, hrsg. von Gonzalo Munévar, Dordrecht/Boston/London 1991, S. 487-527. Als Übersetzungsvorlage dieses Dialogs diente ein handschriftlich revidiertes Manuskript des Autors. – Die italienische Ausgabe, *Dialoghi sulla conoscenza*, Rom 1991 (Übersetzung aus dem Englischen ins Italienische: Roberta Corvi) weist verschiedene Abweichungen gegenüber dem revidierten englischen Manuskript des Autors auf. – Die deutschen Übersetzungen der Platon-Zitate im ersten Dialog sind der klassischen Übersetzung Friedrich Schleiermachers entnommen.

Henning Thies

Philosophie

Henri Bergson
Die beiden Quellen der Moral und der Religion
Band 11300

Isaiah Berlin
Russische Denker
Herausgegeben von Henry Hardy und Aileen Kelly
Band 11490

Ernst Cassirer, Jean Starobinski, Robert Darnton
Drei Vorschläge, Rousseau zu lesen
Band 6569

René Descartes
Ausgewählte Schriften
Herausgegeben von Ivo Frenzel
Band 6549

Paul K. Feyerabend
Über Erkenntnis
Zwei Dialoge
Band 12775

Philippa Foot
Die Wirklichkeit des Guten
Moralphilosophische Aufsätze
Herausgegeben von Ursula Wolf und Anton Leist
Band 12961

Herausgegeben von Hans-Georg Gadamer
Philosophisches Lesebuch
3 Bände:
6576/6577/6578

Ludwig Giesz
Phänomenologie des Kitsches
Band 12034

Horst Günther
Zeit der Geschichte
Welterfahrung und Zeitkategorien in der Geschichtsphilosophie
Band 11472

Pierre Hadot
Philosophie als Lebensform
Geistige Übungen in der Antike
Band 13221

Thomas Hobbes
Behemoth oder Das Lange Parlament
Herausgegeben von Herfried Münkler
Band 10038

Max Horkheimer
Traditionelle und Kritische Theorie
Fünf Aufsätze
Band 11328

Fischer Taschenbuch Verlag

fi 69 / 17 a

Philosophie

Max Horkheimer
Zur Kritik der instrumentellen Vernunft
Band 7355

Edmund Husserl
Arbeit an den Phänomenen. Ausgewählte Schriften
B. Waldenfels (Hg.)
Band 11750

Immanuel Kant
Eine Vorlesung über Ethik
Herausgegeben von G. Gerhardt
Band 10249

Peter Kemper (Hg.)
Die Zukunft des Politischen. Ausblicke auf Hannah Arendt
Band 11706

Ralf Konersmann
Erstarrte Unruhe
Walter Benjamins Begriff der Geschichte
Band 10962

Susanne K. Langer
Philosophie auf neuem Wege
Das Symbol im Denken, im Ritus und in der Kunst
Band 7344

Lutker Lütkehaus
Philosophieren nach Hiroshima
Über Günther Anders
Band 11248

Niccolò Machiavelli
Politische Schriften
Herausgegeben von Herfried Münkler
Band 10248

Pierre-François Moreau
Spinoza
Versuch über die Anstößigkeit seines Denkens
Band 12245

Max Planck
Vom Wesen der Willensfreiheit und andere Vorträge
Band 10472

Platon
Sokrates im Gespräch
Vier Dialoge
Band 11065

Jean-Jacques Rousseau
Schriften
Herausgegeben von Henning Ritter
2 Bände: 6567/6568

Fischer Taschenbuch Verlag

fi 69 / 10 b

Philosophie

Bertrand Russell
Das ABC der Relativitätstheorie
Band 6579
Moral und Politik
Band 6573
Philosophie. Die Entwicklung meines Denkens
Band 6572

Rüdiger Safranski
Wieviel Wahrheit braucht der Mensch?
Über das Denkbare und das Lebbare
Band 10977

Wilhelm Schmid
Die Geburt der Philosophie im Garten der Lüste
Michel Foucaults Archäologie des platonischen Eros
Band 12509

Georg Simmel
Das Individuum und die Freiheit
Essais
Band 11925

Hans Joachim Störig
Kleine Weltgeschichte der Philosophie
Band 11142

Herausgegeben von Bernhard H. F. Taureck
Psychoanalyse und Philosophie. Lacan in der Diskussion
Band 10911

Christoph Türcke
Kassensturz
Zur Lage der Theologie
Band 11249

Christoph Türcke
Sexus und Geist
Philosophie im Geschlechterkampf
Band 7416
Der tolle Mensch
Nietzsche und der Wahnsinn der Vernunft
Band 6589

Paul Veyne
Weisheit und Altruismus
Eine Einführung in die Philosophie Senecas
Band 11473

Voltaire
Philosophische Briefe
Band 10910

Michael Walzer
Exodus und Revolution
Band 11835

Fischer Taschenbuch Verlag

fi 69 / 1 c